哲学の礎《いしずえ》

生井利幸

Toshiyuki Namai

善本社

はじめに

一人の人間が生きるということは、言葉を換えれば、「一個の生命体として生きる」ということです。「一個の生命体」、・・・これは野生動物のように本能で生きる生命体ではなく、「本能に加え、『知能』を使って生きる〝知的なる生命体〟」なのです。

一人の人間が、自分について、「巨大な宇宙空間に浮かぶ〝微小なる小石〟（地球）の表面で『生』（life）を受け、宇宙空間における唯一無二の一個の生命体として生息している」という自分自身の真実を捉えたとき、その人間は、改めて、「思索する」「哲学する」という行為の重要性を再認識するに違いありません。

宇宙物理学として宇宙空間を捉えると、宇宙が誕生したのは今から138億年前。その後、地球が誕生したのは46億年前です。

言うまでもありませんが、「宇宙史」（宇宙の歴史）という巨大枠から人間存在を捉えたとき、この太陽系に浮かぶ〝微小なる小石〟の表面で、わたくしたち人間が思索・哲学し始めたのは、まさに「つい先ほど」のことです。

21世紀の現代社会では、年々、本を読まない人々が増え続け、それに伴い、多くの人々において「深い思索」を試みない風潮にあります。わたくしは、このような時代の移り変わりの中で毎日を過ごしながら、ひしひしと「哲学の重要性・必要性」を感じています。わたくしは、「人間社会は、哲学することなしに、より良い未来を築き上げることはできない」と考えます。「人間が哲学する」とは、人間が知的なる生命体としてしっかりと思索し、自分なりの答えを導き出すということです。どのような時代においても、人間社会は、自分たちでしっかりと思索し、より良い未来社会を築いていくことが求められているのです。

このたび、わたくし生井利幸の弟子・松永差世君が、21世紀社会における哲学の重要性・必要性についてしっかりと捉え、本書の出版を実現するべく企画・編集主幹として精力的に動きました。また、株式会社善本社社長・手塚容子さんにおいては、松永君の〝計り知れない哲学への熱情〟をご理解いただき、多方面にわたって格別なるご協力を得ました。

最後に、この場をお借りして、本書の出版に関わったすべての皆様方に対して、心からの感謝の意を申し上げます。

2022年10月31日

東京・銀座の、生井利幸事務所・銀座書斎にて

生井　利幸

『哲学の礎』目次

第1章　考えるヒント

第2章　西洋の哲学・思想を人生に生かす

第3章　東洋の哲学・思想を人生に生かす

第5章　「生きること」「死ぬこと」をめぐる究極の哲学

安楽死と尊厳死

人間の「生命の質」（quality of life）について考える

第6章　日本人が哲学して見直すべきこと

第1章

考えるヒント

身近なことを考えることから始めよう
――「たくさんの知識を詰め込むよりも、考えるためのヒントを少しでもつかむほうが大切である」

一般に、哲学は堅苦しく、そして難しい学問であるというイメージがある。確かに、哲学はとっつきにくい抽象的な理論ばかりを述べているため、普通の人々は「毎日の生活には無縁でアンタッチャブルな代物だ！」と考えてしまうことが多い。

しかし、人類の歴史を振り返ると、これまでに哲学が果たしてきた役割は非常に大きく、実に「諸学の基礎を成すもの」であることがわかってくる。

そもそも、「哲学を学ぶ」ことは「人間を学ぶ」ということであり、また「人間にとって最も妥当とされる生き方を追求する」ということである。そうであれば、どんな人にとっても「哲学は実に重要な代物だ！」という結論が導き出されることになるが、我々はそれが重要だとわかっていても、やはり「難しいものは難しい！」と話を終わらせてしまう。

現在、私はオランダ王国の北部都市・フローニンヘン市に在住し、市内のど真ん中にある国立フローニンヘン大学（Rijksuniversiteit Groningen）法学部に研究室を構えている。先日、同じ学部の同僚であり、友人でもあるロブ・シュウィッターズ博士（Dr. Rob Schwitters）と、「一般のオランダ人にとっての哲学」というテーマで話をした。その時、彼は次のような面白い見解を述べてくれた。

「オランダでは、今も昔も哲学を愛する人々が多い。しかし、哲学を愛する人々であっても、彼らには月曜日から金曜日までは仕事がある。どんな人でも仕事に精を出して働かなければ食べてはいけない。しかも、夜は、家族との時間を大切にしたい。したがって、平日にゆっくりと哲学書を読むということは意外と難しい。それ故、哲学を愛する人々は、日曜日こそが、ゆっくりと哲学書を手に取ることができる『娯楽の日』であるという考え方を持っている」

ここで、私が普通の日本人として極めてステレオタイプな発想法を試みるならば、「休日の読書に至福を感じるなんて、オランダの哲学好きな人々は、哲学の理論にもさぞ精通しているはずだ」と考えるだろう。ヨーロッパといえば、古くはギリシア哲学から始まり、中世、近世、現代と数々の著名な哲学者・思想家を輩出している。もちろん中国、インド、日本といったアジアにも偉大な哲学者はいるが、一般的に「哲学」といわれると西欧社会の思想・学問というイメージが強い。「本場ヨーロッパの哲学好きな人」と聞けば、素人の域を超えるくらいよく理解していると想像してしまう。

ところが実際は、そうしたイメージは単なる妄想でしかない。オランダに限らず、ヨーロッパ全域に共通して言えるのは、「哲学が好きでも、その中身について詳しく説明することができる人は非常に少ない」という現実である。例えば、シュウィッターズ博士は、このことについて次のように述べている。

「一般に、『私はカント哲学が大好きだ！』と断言する人であっても、その理論を十分に理解し、それについて詳しく説明できる人は１００人中５人にも満たないであろう」

もっと具体的に言うならば、たとえ日曜日などの余暇を利用して難しい哲学書を読んでいるオランダ人であっても、そのほとんどは、本の中身を十分に理解してはいないということだ。哲学書を熱心に読む人は多いが、必ずしも彼らが皆その中身を十分に理解しているとは限らないのだ。

これは、日本人の場合にも同じことが言えるに違いない。

日本にも、「哲学好き」な人はたくさんいて、家の本棚にはカント、ニーチェ、サルトルなど、実に数多くの哲学書が置いてあり、暇さえあればそれらを手に取る、という人は決して少数派ではない。しかし、実際のところ、よほどの博学な人物でもない限り、本棚に置いてある哲学書を十分に理解し、それを「要領よく説明できる」人はまずいない。西洋でも日本でも、「哲学書の役割」として考えられることは、書かれてある理論そのものを理解することよりも、①難しい顔をしてそれを読み漁り、「読んだ」という満足感を得ること、②「自分の部屋に哲学書を置く」という一種の所有欲を満たすこと、に重きがおかれているといえる。もちろん、理論が十分に理解できたなら言うことはないが、それはかなり難しいので、多くの場合は①②に落ち着いてしまう。

通常、哲学についての本を書く人であれば、冒頭でこんなことを書く者はいない。しかし、私は、あえてそのタブーを破って明記したい。それは、哲学書は「それを読破した」という自己満足に浸るためにあるのではなく、何らかの問題意識に基づき、自ら哲学するためにあるからだ。

自らの力で哲学するためには、一体どうしたらよいのか――これは実に難しい問題であり、わずか数行で述べることは不可能に近い。私自身、「人間はいかに哲学すべきか?」などという大それた問題について述べられるほど、「偉い哲学者」ではない。偉い哲学者ではないが、一つだけ言えることがある。それは、「たくさんの知識を詰め込むよりも、考えるためのヒントを少しでもつかむほうが大切である」ということだ。

西暦何年に、どの国にどんな哲学者がいて、いかなる理論を唱えたかということを知るだけでは、単なる平面的な知識の寄せ集めでしかない。自分自身が哲学するためには、「書物で得た知識を立体的に組み立て、時や場所を超越して、相互に関係する概念を立体的にリンクさせて思索し、自分なりの考えを導き出す」ということが極めて重要なのである。

哲学好きの西洋人が皆、その考えを完璧に理解しているわけではない。しかし彼らは、自分自身と自分を取り巻く世界について、論理的に考えたり語ったりする習慣を持っている。それは、あらゆる物事に「曖昧さ」を内包させる日本人とは対照的である。日本人の曖昧さを否定するつもりはないが、何か大きな問題に直面した際に、冷静に事実を見きわめて、論理的に思考し、的確な判断を下すことが必要になる。我々日本人にも、自分や自己の周りの世界について思考する習慣を持つことは大切であろう。

「少しだけ深く考えると、人生が変わる」――これは私の持論だが、過去のそうそうたる哲学者たちの思想や言葉を、「深く考える」際のきっかけや導入として使ってみてはどうだろうか。

人生は長いようで実に短い。その短い人生の中で、「どれだけ『価値のある生き方』をすることができるか」という問題は、誰にとっても興味深い問題であるに違いない。そして、それは「どのような哲学的スタンスを持って生きるか」という問題でもある。

今、日本の社会は哲学不在の社会であると言われている。しかし、実際に多くの日本人は、物事を深く考え、理性的な思考をすることに優れていると、私は考える。だからこそ今、我々はもう一度自分たちの真の姿を認識し、ダイナミックに哲学し、より善く生きることに努めたいものである。

できるだけ多くの人々が、本書を巧みに活用することによって、「立体的な思索を試み、幅の広い観点から哲学すること」を強く望む次第である。

人間は、犬や猫とは違う

――「人間は皆、発見の航海の途上にある探求者である」（エマーソン）

我々人間は皆、空気を吸い、ものを食べ、とにかく毎日を生きている。生きていく中には、楽しいこと、愉快なことがたくさんある。しかし、異なるものの見方・考え方を持った人間が同じ社会でともに生きている以上、「人生のすべての時間が楽しくて仕方がない」ということはあり得ない。

時には、職場や学校、あるいは地域社会において、他人とのコミュニケーションがスムーズに図れず、精神的に憂鬱になったり、落ち込むこともあるだろう。

加えて、人間の体は完全無欠な存在物ではない。歳を取れば体力も落ちるし、病気にもなりやすくなる。重い病気になれば入院したり、リスクのともなう手術をしたり、過酷な治療を受けることも必要となる。人間は精神的、肉体的な試練から完全に逃れられない宿命を持っているのだ。

しかし、我々は、そうした苦悩、苦痛に甘んじることを望まない。すべての人間は、精神的・肉体的苦痛にも耐えて、自らの人生を謳歌しようとする、極めてポジティブな動物なのだ。「辛い経験を乗り越えて生きる」ということは決して簡単ではないが、それでも人間は「より価値のある生き方」をしようと、毎日一生懸命に生きる努力をする。「楽をしたい」「辛い思いをしたくない」という欲求は、言うなれば動物としての本能である。だが、我々人間は、多くの困難を乗り越え、生き続けようとする。それは、なぜなのだろうか。

この質問に対する最も便利な答えは、「この世に生まれた以上は、とにかくより善く生きなければならないから」ということであろう。むろん、美辞麗句を並べて、「苦しい経験を乗り越えて人生を全うしてこそ、生きる価値があるのだ！」と言ってしまえば格好がいい。だが、実際、お坊さんや牧師さんなどの聖職者でもないごく普通の人間が、そのような厳格な考えを持っていることは稀《まれ》である。結局のところ、普通の人間にとっての生きる理由とは、「この世に生まれたから、とにかく生きる」ということではないだろうか。

言うまでもなく、人間は犬や猫とは違う。我々人間は、他の動物と違って、「動物的本能」を満たすだけでは、スピリチュアルな面で十分に満足することができない存在である。人間に知性がある以上、端的に「食べるものさえあればそれでよい」という考え方をすることは不可能であり、常に精神的に満足しなければ幸福感を味わえない宿命を抱えているのだ。

人間には、「考える能力」が備わっている。だから、食べる、寝るという生き物としての欲求を満たすだけでは満足できない。すべての人間は、年齢や職業にかかわらず、頭の中で何らかのことを思い、考えながら生きている。つまり、「考える」という知的行為を実践することこそが、「人間が人間である唯一の証」なのである。

アメリカの思想家・詩人であるエマーソン(1)（Ralph Waldo Emerson, 1803-1882）は、「人間は皆、発見の航海の途上にある探求者である」と言った。広く世界中で愛されているこの言葉は、「人間が生きることとは考えることであり、『考える者』としてダイナミックに自分の人生を生き、常にポジティブな姿勢で『新しい発見』を探し求めることこそが、価値ある人生を送るための唯一の方法である」と解釈できる。

新しい発見をし、面白く、そしてチャーミングな人生を送るためには、とにかく「理性的に考える」ことが不可欠である。エマーソンが言ったように、すべての人間は、発見の途上にある探求者である。新しい発見をするプロセスにおいては、実に色々な発見をするが、どんな発見をしようと、「これで終わり」ということはない。

この世に生きている以上、我々は常に「新しい何か」を探し求める熱いエネルギーを維持し続けなければならない。なぜならば、それを追求することが、「人生を生きる」ということそのものであるからである。

（1）エマーソンは、ハーヴァード大学で学んだ後に神学校に進む。1829年に、ボストン第二教会の牧師となるが、教会の伝統的形式に疑問を持ち1832年に辞職。彼は広くアメリカの思想家・詩人として有名であるが、特に、ドイツ観念論、とりわけカント哲学をアメリカに移入することに力を注いだ。主著は、『自然』『アメリカの学者』『神学校講演』『エッセーズ』など。

人間はどうして悩むのか
――生きることは悩むことである

我々が毎日を生きていく以上、「悩み」は必ず存在する。今の自分を改善し、より価値のある生き方をしようとすればするほど、人間は何らかの問題について悩み、考えることになる。

だが、一言で「悩み」といっても、その対象は実に様々だ。仕事、人間関係、恋人、夫婦や家族のこと、あるいは経済的な問題など、どんな人間でも社会生活を営む上で何らかのことについて悩みを持っているものだ。ただし、悩みがあるからといって「もう生きていくのは面倒だから死んでしまおうか」と考える人はいないはずである。

そもそも人間が悩む理由は、たった一つしかないと私は考える。

その唯一の理由は、「どんな人間にも『自分を高めたい』という向上心があり、その欲求を実現するためには一体何をすべきかと考える。我々は、この問題について考える時、大いに頭を悩ませる」というわけだ。

向上心にしたがって自分自身を高めたいという願望は誰でも持っているであろうが、「自分の価値観の中で何に重きを置くか?」という問題は個人によって違う。

例えば、一方に、物質的な豊かさよりも精神的な豊かさに重きを置く人がいたとしても、もう一方には、物質的な豊かさがなければ人生をエンジョイすることはできないと考える人もいるはずだ。

また、仕事における価値のおき方も、人によって違う。ある人は「出世が命だ!」と考えるが、ある人は「部下を持つのはいかにも面倒だ。会社における肩書きはどうでもいいから、好きな仕事さえできればそれで満足!」と考えるかもしれない。

このように、個々の人間が心の中に抱く価値観は実に多様であり、その中身も個人によって違う。

ただ、個々の価値観の中身は違っても、「悩む目的」自体は全く同じである。なぜならば、「より価値のある生き方をし、自分の人生を謳歌したい」という願望はすべての人に共通するからだ。

ちょっとだけ深く考えてみると、自分の何かが変わる

――「人間は考える葦である」（パスカル『パンセ』）

人間が生きることとは、悩み考えることであるが、一言で「考える」といっても実に漠然としており、「何を考えればよいか」と戸惑う人もいるに違いない。

思うに、最初からいきなり背伸びをして、「人間の本性とは何か？」とか「カントの観念論哲学の本質は何か？」というような難しい問題を考える必要はない。まずは、①自分の身の回りの問題について考えることからスタートし、②少しずつより本質的な問題に取り組み、③無理のない程度にそれについて思索する、というプロセスを踏むことが、地に足の着いた思索活動の秘訣といえよう。

フランスの哲学者・科学者・宗教家として名を馳せたパスカル[1]（Blaise Pascal, 1623-1662）は、人間が考えることの重要性を説き、「考える行為にこそ『人間の尊厳』がある」と主張した。彼は著書『パンセ』（Pensees）において、以下のような言葉を述べている。

「人間は一茎の葦にすぎない。自然のうちで最も弱いものである。だが、それは考える葦である。かれをおしつぶすには、全宇宙が武装するにはおよばない。ひと吹きの蒸気、ひとしずくの水が、かれを殺すのに十分である。しかし、宇宙がかれをおしつぶしても、人間はかれを殺すものよりもいっそう高貴であろう。なぜなら、かれは自分の死ぬことと、宇宙がかれを超えていることとを知っているが、宇宙はそれらのことを何も知らないからである。

そうだとすれば、われわれのあらゆる尊厳は、思考のうちにある。われわれが立ち上がらなければならないのは、そこからであって、われわれが満たすことのできない空間や時間からではない。だから、よく考えるようにつとめよう。これこそ道徳の本源である[2]」

これは有名な一節であるが、ここで彼は、「人間の思考の偉大さ」を強調している。確かに、人間は「一茎の葦」にすぎないが、それは「考える葦」である。「考える行為にこそ『人間の尊厳』がある」としたパスカルのセオリーは、21世紀社会を生きる我々にも十分に応用が可能である。

宇宙は広大である一方、人間は非常に弱い一茎の葦である。しかし、宇宙は自ら何かを問い、考えることはできない。何かを問い、考えることができるのは人間のみである。

それ故、「人間は考えることによって、宇宙をも呑める存在」なのである。「人間が考える」ことのダイナミズムは、このような「宇宙をも呑める」という考え方から求められるわけであるが、意外にも、現代人はこの思索におけるダイナミズムを味わうことなく毎日を過ごしている。

すでに述べたように、考える対象物は、実に人それぞれである。生きることは考えることであるから、生きている以上は、常に何かについて考えている。だから、その思索についての中身は、「今日の夕食は何にしようか」という問題であっても、「明日は彼女とどこでデートするか」という問題であってもよいわけだ。

重要なことは、何を考えるにしても、「考える」という行為のダイナミズムを味わい、「考えることによって宇宙をも呑める」という無限のポテンシャリティーを深く認識することなのである。

あなた自身もパスカルになりきって、「私は考えている。考えているからこそ『尊厳』を持った動物なのだ」という認識を持ち、「哲学する人間」として思索の旅に出てみてはどうであろうか。

（1）パスカルは、中部フランスのクレルモンに生まれた。父は税務関係の行政官として生計を立てていたが、素人の科学者でもあった。パスカル自身は学校には通うことなく、父の下で自由な教育を受けた。16歳になると、『円錐《えんすい》曲線論』を発表する。

パスカルは熱心なキリスト教信者であった。自身はカトリック信者でありながらも、31歳になると、権威主義を否定するポール・ロワイヤル修道院に入り、禁欲生活を送って思索に専心した。

パスカルは、哲学の基本理念の形成に関与しつつも、一方では、哲学の限界について鋭い言及を行った人物である。「哲学を嘲《あざわら》うことこそ真に哲学することである」というパスカルの言葉は、彼の「逆説的論者ぶり」を物語っているといえる。主な著作は、『パンセ』『プロヴァンシアル』『真空論序言』など。

（2）『パンセ』（パスカル著／由木康訳／白水社）第6編「思考の尊厳」347、142頁参照。

真の「教養」を養い、教養人として哲学する

「あの人には教養がある」「もっと教養を身につけたい」といった言葉をしばしば見聞きするが、そもそも「教養」(1)(culture) とはいかなる概念なのだろうか。これは学識者や作家などがしばしば触れる問題であるが、改めて考えてみると、実に漠然とした問題であることに気付く。

「あの人には教養がある」――この場合の「教養」は、「あの人は何でも知っている」「あの人は博学だ」という意味合いで使われているのであろう。しかし、ただ単に「知っている」という事実のみでそれを「教養」と呼ぶのは、ある意味で滑稽なことである。単に「物事を知っている」ということは「教養」ではなく、むしろ「知識」(knowledge) であるからだ。

教養は、「自分の知っている『もの』を人間社会のためにいかに活用し、貢献するか」

という「知恵」を意味する。知識は「ものを知っている」という段階に止まる概念であるが、教養は「すでに存在する知識を、何らかの目的のために活用する知恵」を意味するものなのだ。

『広辞苑』（岩波書店）で「教養」という言葉を調べてみると、「単なる学殖・多識と異なり、一定の文化理想を体得し、それによって個人が身につけた創造的な理解力や知識」と書かれている。より易しい表現で言えば、「創造的（クリエイティブ）な理解力や知識」である。この説明のとおりの教養を完全に備えた「教養人」を捜すのは、恐らく不可能に近いだろう。

では、「創造的な理解力」とは一体どのような概念なのだろうか。

それは、単なる平面的な理解ではなく、「様々な知識を駆使して、創造的な発想を基盤とする理解力」と捉えることができる。

ここまで話が進むと、教養という言葉が意味する概念が一層明確になってくる。すなわち、「クリエイティブな理解力」とは、様々な知識を基盤として、ありとあらゆる人間の文化的背景に応じて、論理的、理性的、創造的に物事を理解し、それを人間の幸福のために活用・応用するための「総合的理解力」「判断能力」を意味するのである。

例えば、あなたの目の前に英語が非常に得意な人がいたとする。日本で生まれ育ったにもかかわらず、英語を自由に操れる能力を持っていれば、通常は周囲の人々から「この人は英語ができる。実に教養がある人だ」という評判が自然と立つ。

もちろん英語ができること自体は実に素晴らしいことだ。しかし、仮にそうであっても、彼がコミュニケーションを図ろうとする相手は常にアメリカ人やイギリス人ばかりで、西洋文化を必要以上に崇拝し、東洋文化を卑下する考え方をするとしたら、そのような人を「優れた教養の持ち主である」と判断することは愚の骨頂である。

結局のところ、言語というコミュニケーションのための「道具」（tool）を扱うのが得意であっても、本人の世界観や価値観が歪んだものであれば、言語知識の豊富さを直ちに教養と呼ぶことはできないのである。

しかし、英語というコミュニケーションのための道具を得意とし、世界中の様々な人々と対等にコミュニケートしようとする姿勢を持っているなら、そのような人を「教養人」と呼ぶことに異論を唱える人はいないはずだ。

偏狭な世界観に捉われることなく、国籍、人種、民族、文化、習慣、思想、宗教などにかかわることなく、どのような人を相手としても、お互いを「一個の個人」として尊重して交流することができて初めて、英語というコミュニケーションの道具が存在する本当の価値が生じるわけだ。簡単に述べれば、英語はただそれを知っているだけではあまり意味はない。真に重要なのは、コミュニケーションを図る上での道具である英語力を、いかなる目的のために活用するか、応用するかということである。

むろん、人生を謳歌する上で知識が必要であるということは、言うまでもない。しかし、それだけでは意味がない。意味を成すためには、「知識をどう使うか」という「知恵」(wisdom)を身につけなければならない。そして、そのような「思索のプロセス」こそが「真の教養を養うための道のり」となるのだ。

物事を考えるためには、ある程度の教養が必要である。哲学することは考えることであるから、「哲学するためには教養がなければならない」という理屈になる。

この地球上において唯一の「知的動物」として生きている我々人間には、「教養人として理性的に生きる」という一つの責務があると言ってよいかもしれない。したがって、一人ひとりの人間の精神において、「教養人として物事における善悪の判断を慎重に行い、理性的に、そして正しく生きていこう」とするスタンスがなければならない。結局、人間が哲学しなければならない唯一の理由は、ここに存在するのだ。

(1) 一般に、「culture」という言葉は日本では「文化」の意味で使われることが多いが、英米においては広く「教養」という意味で使われている。語源は、ラテン語の「耕作、手入れ」を意味し、これを動詞にすると「cultivate（耕作する、養う、教化する、啓発する）」という形になる。

第2章

西洋の哲学・思想を人生に生かす

ソクラテス

▼本当の「知」は自分の無知を知ることから始まる

人間には、少しばかり何かを学び、それによってある程度の評価を得ると、人前でさもたくさん知っているかのように振る舞いたくなる習性がある。学びの道（学問の道）というのは決して簡単な道ではないのだが、時として人間は愚かにも「自分は多くのことを知っている、何でも知っている」という錯覚に陥ってしまうのだ。「自分には限られた知識しかない」ということは、自分自身が一番よく知っているはずなのに。

だが、よく考えてみると、「自分は何でも知っている」と軽々しく言うことは、実は「何も知らない」「そこそこに知っている程度だ」という証である。

古代ギリシア時代の偉大な哲学者・ソクラテス(1)（Sōkratēs, 470?–399 B.C.）は、「知」を愛し、それを求めることに自らの人生を託した。「哲学」（philosophia）は古代ギリシア語で「知」（sophia）を「愛する」（philein）という意味。この知を愛すること、すなわち「愛知」は、彼によって確立されたものであると伝えられている。

ソクラテスは、人間は誰一人として自ら進んで悪事を行う者はいないと考え、「悪事を行う者は、それを悪とは知らず、善と思って行っている。言うなれば、そこに人間の無知があるのだ」と主張した。人間はこのような自らの無知を自覚し、自分にとって何が大切なのかを追求し、それを知ることができて初めて、善と悪を認識できると考え、日々、人々と哲学的対話を交わした。

この対話は「助産術」と呼ばれる問答方式で、例えば幸福とは何か、善とは何かと問いただしていく。これらの問答は簡単に答えが出るものではなく、誰にも正解は出せないので、結局「まだ、それはわからない」という無知の告白を互いに認めることで終わる。しかし、そうすることで自分たちの無知を悟らされてしまうと恐れた、自己反省のできないソフィスト(2)たちから、ソクラテスはひどく嫌われた。しかし、彼はそうすることで、周囲のソフィストたちに本当の「知」を認識させようと努めた。

ソフィストの中には、少しばかり知識があるというだけで、自分が「偉い人物」であるかのような錯覚に陥り、プライドばかりが高い人物が多かった。当時、学問をするのは贅沢《ぜいたく》なことであったので、大衆は「学問がある人」を敬う傾向が強かったことも、そうした傾向に拍車をかけた。

だが、一般大衆から敬われるソフィストといえども、決してパーフェクトな存在ではない。多少の学問を修めたところで、その知識は決して万能ではない。それ故にソクラテスは、自分は何でも知っていると自負する者は、実は「何も知らない者」であり、人間は自らをそう思っているうちは、本当の知には到達できないと力説したのであった。

自分自身の「無知」に気付くことが、「本当の知」への扉を開ける——この考え方は、古代ギリシア時代だけではなく、21世紀の現代社会においても十分通じる考え方である。

例えば、有名大学を卒業しただけで「自分は○○大学卒業だ！」というプライドを過度に持ち、どこへ行っても卒業した大学の名前だけで通用すると信じ込んでいる若者はいまだにいる。ところが、仮にその一流大学で専門分野を学んだとしても、真の意味での「学問の深さ」を考えれば、その4年間は実に「些細な4年間」である。

学問というものは、人間一人が何十年間も睡眠時間を削って励んでも、ほんの少しの研究しか成し得ないものだ。したがって、単に高校課程を終えた若者が大学に4年間在籍し、そこで卒業に必要な単位を取るための勉強をしたとしても、それはまだ、学問の扉を開ける前の段階であると言うべきだ。

学問を修めるためには、長く厳しい試練・困難に耐えなければならない。しかし、このことを認識している若者は、現代社会においても実に少ない。言ってみれば、現代人は、はるか昔の古代ギリシア時代に提唱された「無知の知」という哲学さえ、いまだに超えられないまま、十分に実践できないままでいるということである。

自分の無知を認識することが、本当の「知」に到達するための第一歩である。謙虚な姿勢で自分の知識を増やし、その知識を基盤として柔軟性のある教養を養おうとすることこそが「物事の本質（essence）を見極めるためのプロセス」となるのだ。

▼「死は善きものである」

ソクラテスは70歳の頃、青年たちを堕落させ、また国家の認める神々を認めずにダイモニア（神霊）を崇《あが》めたという理由から、裁判にかけられた。ソクラテスの裁判は、一般の市民から抽選で選ばれた500人の裁判官によって行われた。裁判は投票で二度行われ、二度目に360対140で彼の死刑が決定されたという。

ソクラテスが一生涯を通して探求してきたのは「善く生きること」であり、多くの人々にそうした生き方を勧めることが、国家への最大の貢献にもなると信じていた。それ故に、自らが被告人として法廷に立った時も、堂々と自分の無罪を主張し、熱弁をふるった。しかし、結局のところ、ソクラテス自ら主張した弁明は法廷では認容されることはなく、死刑が言い渡されたのであった。

この法廷における弁明では、ソクラテスの「死」に対する考え方が明確に述べられた。「死」については、ソクラテスに限らず、数々の哲学者たちによって語られている。それだけ人間にとって重大かつ永遠のテーマなのだ。本章では、哲学者たちが考えた死についていくつか紹介するが、まずはソクラテスの考える死について述べたい。彼は法廷で、「死がいかなるものであるかはわからない」と述べ、わからないものを恐れることは愚の骨頂であると主張した。

まずソクラテスは、自分自身を含めて「死を認識している者はいない」と述べた。彼は、特定の宗教に基づいたり、哲学の一派の考え方に傾向して主張しているわけでもない。人間は神ではないのだから、「死んだらどうなるのか」など誰にもわかり得ないという、ごくシンプルな論法である。

ソクラテスは「無知の知」を引用し、人々が死を「恐ろしいもの」と考えることには、何ら合理性が存しないことを明確にしようと試みた。先にも書いたように、「無知の知」は「自分自身が何も知らない」ことに気付くことが重要である、という意味である。彼は、「我々は死について何も知らない」のだから、恐れるよりも素直に「わからない」と認めなければならないと説いたのである。

ソクラテスにとっては、結局、そうすることが「自己の無知を知ってる」という証になった。逆に、何もわからないにもかかわらず独断的な考えを持ち続けることは、「自己の無知を知らない」という証明になってしまう。

さらに、死を知らないということが明確になると、「死は恐ろしい」という判断も間違っていることになる。「死とは何か？」を知らない限り、死について無闇に恐れるのは不可能だからだ。

次に、ソクラテスは「死は善いものだ」と述べた。死については全くわからないと断言している彼がこう言うのは、一見、矛盾しているように思える。しかしこれは、死に対する考え方は数々あるが、「それらのどれが妥当で正しいのかがわからない」ということだ。ソクラテスほどの哲人であっても、一度も死んだ経験がない以上、それを知ることは不可能である。だから、これを断定することを回避したのだ。

死後については、本人が信じる宗教の教義から、死んだ後も魂は残ると考える人もいれば、学問的、自然科学的な根拠からそれを否定する者もいる。しかし、誰も確かめられない以上、どちらも正しいとは言えない。ソクラテスがこの問題について明確な答えを出さなかったのは、極めて理性的な立場から「間違いのない『知』の範囲内に留まろう」とするスタンスを表象しているからだ。

ソクラテスは、死後の魂について二つの考え方を打ち出した。一つは、「死によって魂は無に帰する」という考え方、もう一つは、「死によって肉体は滅びても、魂は生き続ける」という考え方である。ソクラテスはこの二つのうち、どちらが正しいのかという明確な答えは出していない。ただ、いずれの場合でも、死は善きもの、つまり、正しく生きる者にとっては何も恐れる必要のないものであるということを主張したのだ。

法廷で死刑の判決を下されてしまったが、ソクラテス自身は、自分は一生を善く生き、祖国に対しても最高の善を実践してきたと確信していたはずである。

ごく普通の人間である我々が、ソクラテスのように自らの無知を認めたり、死を少しも恐れることなく生きようとするのは難しい。しかし、彼の考え方、残した言葉のほんの一部でも、自分の価値観や人生観に取り入れることができれば、我々もより善い生き方に近づけるのではないだろうか。

（1）ソクラテスは生粋のアテネ生まれで、父は石工ソプロニスコス、母は産婆パイナレテで、クサンティッペを妻とした。祖国を愛し、アテネ遠征軍に3回従軍した以外は、一度もアテネ（現在のギリシア共和国の首都アテネ）を離れなかった。アテネは、アッティカ半島の西側に位置した古代ギリシアの代表的ポリス（都市国家）であり、アクロポリス（城山）にはパルテノン神殿がそびえる。

ソクラテスは、一貫して倫理の原理探求を試みた古代ギリシア時代における偉大な哲学者である。ソクラテス理論における真の知恵とは「無知の知」の自覚であったが、これは結局、アテネの市民には認められることなく、告発され、死刑となった。死刑となる背景については、弟子のプラトンが著した『ソクラテスの弁明』で詳しく述べられている。

実際にソクラテス自身が残した著作はなく、現代でも広く知らている彼の理論は、弟子たちによって紹介されたものである。

（2）本来は法廷弁論・修辞学などを教える人々を総称して「ソフィスト」（sophist）と呼んだが、後に、相手を言いくるめて自己の利益を図ろうとする者が増えたので、「詭弁家」という意味で用いられるようになった。

プラトン

▼「哲人政治論」とは何か

人間が「生きる」ということは、「考える」ということである。すなわち、すべての人間は、何らかの事物について考え、思索し、自らの意思に基づいて自分の行動を決定する。その過程では「どう行動するか」ということを考えなければならず、そうした一連の思索をする上で重要なのが、「理性的に考える」ことである。

言うまでもなく、「社会」という組織体は、自分一人だけの力で成り立っているわけではない。だから、私利私欲だけでなく、他人の利益や幸福を追求するという目的のためにも行動することが求められる。これは、罪を犯して刑に服している囚人でもわかる理屈ではある。だが、我々人間は、それがわかっていながらも、なかなか理屈通りに行動することが難しい。

他人の利益をも考えるためには、正義、とりわけ社会正義について考えなければならない。現代における社会正義の在り方を考える際に参考となる哲学や思想の一つに、古代ギリシア哲学の正義の思想がある。

古代ギリシア哲学が栄えた紀元前5世紀前後の時代は、人類が「人間の在り方」の問題に目覚めた時代でもある。中国では偉大な思想家・孔子が登場し、インドではブッタが「悟り」を開き仏教を広めた。そしてギリシアにおいても、「人生、いかに生きるべきか」を大衆に啓蒙する哲学者が続々と登場した。中国、インド、ギリシアにおいて、ほぼ同じ時期に「人間が存在する目的」について思索を展開していたということは、実に興味深い事実である。

古代ギリシアの都市・アテネで、熱弁を振るう若手の政治家に対して、最初に「正義とは何か」と問うたのはソクラテスであった。そして後に、彼の弟子・プラトン(1)(Platōn, 427-347B.C.)が人間の「徳」を吟味し、これを「個人」の問題から「国家」の問題へと展開させていった。

プラトンは人間の魂を三つに分類し、「魂の三分説」を説いた。一つ目はイデア(2)(idea／本質)を追求する不滅の部分である「理性」、二つ目は現実の世界に存し、かつ人間の肉体に結びついている「欲望」、三つ目が理性と欲望の仲介的な部分である「気概」である。さらに、理性は「知恵」の徳、欲望は「節制」の徳、気概は「勇気」の徳を備えており、これらの三つの徳がバランスよく調和すると「正義」の徳が実現されると説いた。「知恵」「節制」「勇気」「正義」はギリシアの四元徳と呼ばれ、四つの徳のバランスがとれた魂を持つことが理想とされた。

プラトンは、この考え方を現実の国家組織に置き換え、理性的にイデアを追求する「知恵」の徳は統治者が備えておくべきであり、防衛者は「勇気」、生産者は「節制」に努め、これらが互いに調和すると、無理なく「正義」の国家をつくることができると説いた。そして、このようなメカニズムの下、「優れた知恵を持つ理性的な人」が統治階級に属するべきであり、「理性的な判断で哲学できる人物」が政治を行なうべきであるとする「哲人政治」を提唱した。

プラトンは、「統治者が持つ『政治権力』と『哲学』が一体となる姿」を理想とし、それを強く主張した。簡単に言えば、哲学者が政治を行うか、政治家が理性的に哲学するかということである。この考え方は、21世紀を迎えた日本の政治においても、非常に役に立つものだと感じる。

毎日、我々がテレビや新聞などで知る政治家たちは、党や派閥における数の論理だけに捉われている者がほとんどだ。社会や人々に幸福をもたらすために深く思索したり、確固たる哲学や理念を持って理性的に議論する政治家は極めて少ない。むろん、古代のプラトンの哲人政治論を、現代社会にそっくりそのまま移入することはできないが、「政治を行う者は理性的に哲学するべきだ！」という考え方は、極めて妥当である。

▼「イデアの世界」を学び、哲学のドアを開けてみよう！

プラトンは、目に見え、手で触ることができる感覚的な世界は「真の意味で実在する世界ではない」とし、これを絶えることのない「生成、変化、消滅の世界」であると唱えた。

例えば、桜の木は、目で見ることができ、手で触れることもできる。春に桜の花が咲けば、それは実に美しいものだ。だが、それは一時の美しさであり、花はやがて散ってしまう。加えて、花が散った後も残っているその木ですら、永遠に存在し続けるものではない。その木は、いずれは衰え、枯れてしまい、その存在自体が消滅してしまう運命にある。

そこでプラトンは、決して生成・消滅することのない永遠の世界として「イデアの世界」（本質の世界）が存在するとし、これは、自然的で感覚的なこの世を超越する世界であり、理性によってのみ知り得る普遍的な世界である、と説いたのだ。

例えば、我々が何かを「綺麗だ！」と感じる時、その綺麗さは「美のイデア」によってそう感じている。それは結局、イデアの世界を通して我々の目の前に存在しているにすぎないのだ。我々が目にする様々な事物は、真の意味での存在物ではなく、イデアに依存しつつ、生成、変化、消滅しているだけなのである。

哲学をしようとする者は、時として、肉体的・物質的な世界から離れることを試み、「真の知」に到達する努力をすべきである——このプラトン哲学は、現代を生きる我々も学ぶべきものである。

我々は、毎日の生活の中で実に多くの経験をしている。例えば、ある日曜日、あるカップルは、喫茶店でコーヒーを飲み、その後、映画館で映画を観る。夜になると、レストランでビールを飲みながら美味しい料理を食べ、その後は、夜景の綺麗な高層階のラウンジでカクテルを飲む、という一日を過ごす。こんな素敵な一日を恋人と一緒に過ごすならば、誰でも「人生は実に素晴らしい！」と考えるのが普通であろう。

一方、日曜日だというのに、何の約束もない人を想像してみよう。この人は、恋人や友達との約束が一つもないので、せっかくの休日も仕方なく自分の部屋に閉じこもってビデオ三昧の一日を送る。途中、あまりにも退屈なので、数人の友達に電話をかけるが一向につながらない。こんな寂しい日曜日を送ってしまうと、「人生はつまらない！」

と感じてしまうのが人間の心情である。

我々は、この二人の日曜日の価値を全く違うと解釈する。だが、プラトンのイデア論の視点で、もう一度振り返ってみよう。

我々が自分の目で見るもの、手で触ることができるもの、肌で感じることができるすべてのものは、永遠不滅の存在ではない。となると、美味しい料理を食べたり、ロマンチックな気分でカクテルを飲むことは実に楽しいが、「人生、いかに生きるべきか」という、人間として最も根本的な問題を前にした時、そこには「本質」も「真理」もない。

逆に、仮に家の中に閉じこもっていたとしても、ビデオで観た映画をきっかけに、壮大な思索を繰り広げることができる。問題意識の持ち方一つでは、その場所を宇宙にも匹敵する「広大な思索の空間」に変え、物事の本質について考えることも可能なのだ。

むろん、偉大な哲学者でも何でもない我々が、プラトンのようにイデアの世界を意識し、日々の生活の中で、理性によって本質を追究していくことは、難しいことかもしれない。

そこで、私は一つの提案をしたい。あなたが日常行う何らかの行為に哲学の要素を取り入れるのだ。例えばあなたが、どこかでカクテルを飲むなら、少しだけ「哲学者ぶった飲み方」をしてみてはどうであろうか。

ドライマティーニを飲む瞬間に、ただ単に「美味しい！」と飲むだけではお粗末だ。プラトンのイデアの考え方を引用して、「この味を認識できるのは、この味の存在の根拠である『イデアの世界』に、この味の本質が存在しているからこそ、これを『美味しい！』と感じることができるのだ」と考えてみようではないか。そのように考えることで、あなたの思索は、より深みのある思索へと変貌し、一辺倒な捉え方しかできない自分を変えることができる。

我々は普通、目に見える対象物を、「そこにあるから見る」のだが、そうした見方は、逆に言えば「目の前にないものは見ない」「見えるものしか考えない」という発想法に陥ってしまう危険性がある。

まさに、哲学するということは、常に「問題意識を持つ」ということなのである。

▼人間の「魂」は、裁判を受ける運命にある

プラトンは、人間は死を迎えると、自らの魂が肉体から分離すると唱えた。では、死によって肉体から離れた魂は、一体どこに行くのであろうか。

プラトンは、「人間は死後の世界において裁判を受ける」としている。人間の魂は、一切の物質的なものをこの世に残して死後の世界に旅立つが、魂自身には生前の生き様がすべて刻み込まれている。刻み込まれたその生き様によって、死後の世界の裁判官に裁かれる運命を背負っているというのだ。

プラトンの著書『ゴルギアス』によれば、その裁きはゼウスの3人の息子が行っているとされる。ゼウスは多くの子供をもうけたが、その中に、ミノス、ラダマンテュス、アイアコスという名の3人の息子たちがいる。ミノスとラダマンテュスはフェニキアの女王であるエウロペとの子で、アイアコスはゼウスと川の精（ニンフ）のアイギナとの子である。裁判では、ヨーロッパから来た魂はアイアコスが裁き、アジアから来た魂はラダマンテュスが裁き、両者が裁き難い魂に遭遇した時にはミノスが最終的な裁きを行う。裁判が行われ判決が下されると、その判決に従って、個々の魂は定められた場所へ行き、賞罰を受けるという。

「人間は、死ぬと裁きを受ける」という考え方は、複数の宗教に共通する教義の一つだ。それを信じる、信じないは個人の宗教観や価値観によって異なるので、死後の裁判を恐れない人もいるであろう。いずれにしても、この世において正しく生きようとする努力は必要なものである。

（1）プラトンは、はじめは祖父の名にちなんでアリストクレスと呼ばれた。一説によると、肩幅が広いということで、ある教師から「広い」を意味する「プラトン」という呼び名をつけられ、そう呼ばれるようになったと伝えられている。

文章を書くのが得意な文学青年であったプラトンは、20歳頃にソクラテスに出会い、深い感銘を受けた。それ以来、ソクラテスの影響を受けながら真理探究の道に没頭する日々を送るが、28歳の時にソクラテスが処刑され、大きな衝撃を受ける。

その後、各地を歴訪し、できる限り深く学問を修めることにエネルギーを注いだプラトンは、アテネ市の北西郊外にアカデメイア学園を開設し、弟子の教育に専念した。主な著書は、『ソクラテスの弁明』『クリトン』『プロタゴラス』『ゴルギアス』『饗宴』『パイドン』『国家』『パルメニデス』など。

（2）一般的に、イデア（idea）は「原型」「典型」などと訳されるのが普通であり、これは、ギリシア語の「eidā」（見る）から派生した名詞である。プラトンの説くイデアは、いわゆる普遍的定義を指し、事物における「本質」「真理」を意味するものである。

例えば、椅子には色々な形・デザインのものがある。この世の中に椅子の形・デザインが無数にあるならば、ある人間は、うっかり椅子と机を見間違えることも考えられる。しかし、人間は、決してそれらを取り違えることはない。なぜならば、我々が椅子を椅子と判断するのは、「腰を下ろして座るものである」といった椅子の普遍的定義、つまり「本質」を知っているからである。プラトンは、その本質は「理性」によってのみ認識することができると説いた。

アリストテレス
——現実社会を直視した具体的な哲学

優れた知恵を持つ理性的な人物による統治を理想としたプラトンに対し、その弟子であるアリストテレス[1]（Aristotelēs, 384-322B.C.）は、個人の「徳」が社会的に表象されたものが正義であると考えた。

彼は、国家は国民一人ひとりがその担い手として組織されており、その運営はすべての国民の協力で成り立つものと解した。人間は自分一人だけでは生きられない。したがって、「国家を形成する」というその行為は、いわば「人間の本性」であると考えたのだ。

国家形成の基本となる原理は、「国民が相互に善を与え合う」ことである。そうした行為を「友愛」と呼び、それは国家の結合原理として捉えた。

理想の国家を維持していくためには、「正義」が必要となる。アリストテレスは、「正義」こそが人間の共同体である「国家」を維持していく上で、最も重要な要素であると説いたのだ。

アリストテレスの正義は、プラトンのような抽象的な正義ではない。それは、現実を直視した「極めて具体的な正義」であった。まず第一に、時間的空間や場所を超越して通用する「全体的正義」、そして公正を意味する「部分的正義」の二つに分類される。

全体的正義とは、ポリス（都市国家）の法を遵守《じゅんしゅ》するという正義である。部分的正義は、名誉、財産、身体の安全など、いわゆる個人に関わる正義である。

さらに部分的正義は、それぞれの人間が、自分自身の地位や役割に応じて働いた功績に対して名誉や報酬が付与される「配分的正義」、物の貸し借りのように、相互の交渉における利害の調整を図る「調整的正義」の二つに分類された。

配分的正義とは、「一生懸命働いた者」と「怠けてばかりいる者」とでは、与えられる報酬が均等であってはならない、という正義である。また、調整的正義は、他人から物を借りた者は、貸してくれた者にそれをきちんと返す、という正義である。

アリストテレスは、ポリスの現実を直視し、その現実を受け入れようとしていたため、人間に地位や能力の差があることは当然の事実であると考え、配分的正義を「正義の原則」として説いたのであった。

ギリシア神話に登場する「正義の神」は、片手に「公正」を意味する秤《はかり》を、もう一方の手には「裁き」を意味する劔《つるぎ》を持っている。正義の神、正義の追及は、社会秩序を維持するために「法」を尊重し、皆がそれを誠意をもって守ることが前提とされる。そして、法を破る者には裁きが行なわれ、刑罰が下されることが「正義の実践」となる、ということを意味している。

古代ギリシアでは、「正義とは何か」という、人間にとって極めて基本的な問題について、エネルギッシュな思索活動が展開されていた。これまでの人類の歴史を振り返ると、そうした一連の理論は極めて意義のある経験であったと判断できる。

だが、現代においては、そうした古代の哲学者の偉業を深く学び、理想的な社会を創造するために、それらを上手に活用しようと試みる政治家は皆無に等しい。「国の政治を行う者には、確固たる哲学と理念がなければならない」という理屈は、現代の日本の空虚な政治に対して強く訴えなければならないことだ。

日本の国会では、常に政党政治の権力抗争ばかりが台頭し、国民から選ばれた代議士として「国家の哲学や理念」について熱く議論する政治家は少ないと言わざるを得ない。日本の政治が空虚で無味乾燥だと言われるのは、政治のそうした風潮が原因となっているからかもしれない。

考えてみると、「正義」についての議論のない社会では、より善い社会の創造を実現することは不可能である。個人レベルで「正義とは何か」という問題について議論され、その議論がコミュニティーをはじめ市町村や都道府県、そして国レベルに広げられ、社会全体で真の正義を実現しようとする気運が高まることを願うばかりである。

さて、プラトンとアリストテレスは師弟関係にあったが、アリストテレスはプラトンの考え方をそっくりそのまま継承したわけではなく、独自の理論を展開した。

アリストテレスは、プラトンの「イデアは個物とは離れて実在する」という理論を否定している。彼は、「イデアは個物に内在している」とし、個物に形を与えているのがイデアだと唱えたのだ。

早稲田大学のキャンパスには、創立者・大隈重信の銅像が立っているが、この銅像は「それを作るための材料の銅」と「それを作ろうとする人間の構想」が一体となって初めて成立するものだ。アリストテレスの考え方では、前者を「質料」と呼び、後者を「形相」と呼ぶ。

質料は、いわゆる材料や素材を指し、個物が成り立つ「基本」である。形相は、個物の「原型」「本質」を意味するものである。アリストテレスは、「形相は個物に内在している」と考えた。つまり、大隈重信の銅像は、その銅の中に作った人の構想が内在して成り立っているということだ。

これはまさに、プラトンのイデアの考え方を否定するものである。アリストテレスは、この考え方をプラトン理論におけるイデアと区別するために、形相を「エイドス」（eidos／イデアと同様、ギリシア語の動詞「見る」から派生した名詞）と呼んだ。

プラトンの理想主義と、アリストテレスの現実主義は、イタリアのルネサンス期の画家・ラファエロ（Raffaello Santi, 1483-1520）がバチカン宮殿に描いた壁画にも表されている。壁画の中央に二人は描かれているが、プラトンは天を指してイデア界を示し、アリストテレスはその隣で手のひらを下にし、現実の世界を重視しなければならないと説いている。まさに、両者の考え方の相違を明確に描いたものである。

（1）アリストテレスは、トラキア地方のギリシア人植民地スタゲイロスに、マケドニア王の侍医の子として生まれた。17歳の頃にアテネに移り、プラトンが開いたアカデメイア学園の門を叩く。学園で20年にわたり研究する一方、後輩の指導も行った。プラトンの死後はアテネを離れ、マケドニア王フィリップに招聘されてアレグザンダー（当時13歳、後に大王になる）の家庭教師になった。マケドニアがアテネを支配するとアテネに戻り、市の東北郊外にリュケイオン学園を開設した。主な著書は、『形而上学』『ニコマコス倫理学』『政治学』『アテネ人の国制』『修辞学』など。

デモクリトス

――無闇《むやみ》に死を恐れず、人生をできる限り楽しむ

一般に、古代ギリシア時代の最初の哲学者と考えられているのはタレス[1]（Thales, 624?–546? B.C.）である。アリストテレスも、その著書『形而上学』で、最初に哲学した人々としてミレトス[2]のタレスなどの名を挙げ、タレスを「哲学の創始者」、ミレトスを「西洋哲学の発祥の地」と述べている。

タレスは、万物の根源（アルケー[3]／arche）は「水」であると主張した。その後、万物の根源を「無限なもの」「限定を持たぬもの」「無規定のもの」（to apeiron）と説いたアナクシマンドロス[4]（Anakimandros, 610?–560? B.C.）、「空気である」と言ったアナクシメネス（585?–525? B.C.）。「火である」と主張したヘラクレイトス（540?–475? B.C.）などが現れ、「万物の根源」について様々な説が出された。

このような潮流の中、デモクリトス[5]（Dēmokritos, 460?–370?B.C.）が登場し、いわゆ

る「原子論」を唱えた。デモクリトスは、世界・万物の究極の構成要素は原子（atomon）であると考え、「万物は、不可分の物質的微粒子である原子から成る」と主張した。万物はそれ以上は決して分割できない「究極的な物質的構成要素」である「原子」によって存在しており、原子の結合と分離によって生成・消滅すると唱えたのだ。

彼のセオリーによると、「人間の魂も例外なく原子によって構成されている」という理論が成り立つ。

デモクリトスは、人間の「生」と「死」について、以下のように考えた。いかなる生物も「呼吸をすること」によって生存し続けている。あらゆる生物の内部にある魂の原子は、外部の空気の圧力で、絶えず外の世界に押し出されようとしている。

外部の空気には、無数の魂の原子が存在しており、人間は呼吸をすることで空気中のそれを体内に吸収し、外気の圧力を退けている。こうして、体内の魂の原子が体外に押し出されるのを防いでいる。

人間は、呼吸をして外部から魂を吸収できる限りは生きていられるが、このバランスが崩壊し、外部の圧力が勝り、体内の魂の原子が体外に押し出されてしまうと「死」が訪れる。こうした理論で、デモクリトスは「永遠なる魂」を否定した。

デモクリトスは、人間の死に対する不安は「死後の世界に対する不安」であると説明した。どんな人間でも、一度は大きな疑問として抱くであろう、「人間は死んだらどうなるのか」という不安である。しかし、デモクリトスが唱えた原子論をもとに考えると、「人間の魂は死後の世界では存続しない」のであるから、死後について不安を抱く必要性は一切ないといえる。

彼はさらに、「エウテュミアー」（euthymia ／平安に満ちた心の晴れやかさ）を提唱した。これは、我々人間は、エウテュミアーを実現しようと「死を過度に恐れることなく、ほどよい生活、調和のある生活を満喫することによって、最終的には幸福になれる」という考え方である。

人間の死後についての考え方は、個人の人生観、宗教観によって様々である。しかし、特定の信仰を持たない人にとっては、デモクリトスの考えは一つの助けになるかもしれない。人間の魂は死んだら消滅してしまうわけだから、無闇に死を恐れる必要は全くない。不必要に不安を抱くこともないし、死を恐れたりせずに、できる限り人生を楽しめばいいのである。

（1）タレスは哲学、幾何学、天文学の研究に専心し、「自然哲学の創始者」とも呼ばれている。また、紀元前620年から70年間のうちに登場した、古代ギリシアの七賢人の一人でもある。

（2）ミレトスは小アジアのイオニアにある植民都市であった。

（3）ギリシア語の「arche」（アルケー）は「始源」「根源」などを意味し、古代イオニアの自然哲学者たちは「万物の根源」という意味で広くこの言葉を使った。

（4）アナクシマンドロスは、ミレトスの自然哲学者として名を馳せた人物である。「無限なもの（to apeiron）」とは、何ら定めることができないものであり、永遠的かつ不老なものである。アナクシマンドロスは、生命がどのように発生したのか、また、人類の起源について詳しく説いている。

（5）デモクリトスは、古代ギリシアにおいて唯物論を唱えた哲学者として有名である。ギリシアのアブデラに生まれ、レウキッポス（Leukippos）の原子論を継承して、それを発展させた哲学者である。自然学、倫理学、数学、技術、音楽に造詣が深かった。著作としては、格言に近い断片が残されているだけである。

エピクロス
――快楽を求めることは善である

エピクロス[1]（Epikuros, 341?–270 B.C.）は、ヘレニズム期（紀元前３３４年から約３００年間）に活躍し、唯物論を唱えた哲学者であり、精神的快楽を求める思想のエピクロス派（Epicurean School）の開祖でもある。

エピクロスは「快楽」を善とし、それを人生の目的であると主張したことで知られるが、いかなる快楽でもよいとは言わなかった。快楽を求めることは基本的に善であるが、ある一つの快楽が同時に多くの苦痛を招く場合は、そのような快楽は努めて回避するべきであり、ある苦痛に耐えることで、将来、より大きな快楽を得られる場合には、その種の苦痛は耐え抜かなければならないと説いた。

エピクロスは、実に様々な方法で快楽を研究し、その結果、最も重要な快楽は「身体の健康」を基盤とする「心の平安」（アタラクシア／ataraxia）であると唱えた。

彼は、神々や死ぬことへの恐怖心を抱くことは、アタラクシアを実現する上で、大きな障害になると考えた。そして、どのような人間にとっても「不可避的な問題」と思われるこの恐怖心を克服することなしには、真のアタラクシアに到達することは不可能であると説いたのだ。

「心の平安」は、現代に生きる我々も常に望んでいることだ。エピクロスの言うように、真の心の平安は「身体の健康」がなければ達成しにくいものだ。「心の健康は体の健康から」とはよく言われることだが、「体の健康は心の健康から」と言うこともできる。

現代人は、とかくストレスが溜《た》まりがちだ。ストレスが溜まると平穏な心の維持も難しくなるし、健康を害することにもなりかねない。生きることは悩むことであるが、不必要な生産性のない物事について悩むことは、賢明とは言えない。悩む対象は、避けて通れないもの、深く考えることに価値のある「悩むべき問題」についてのみにすべきだ。

例えば、「今年はキャリアアップのために、どんな自己啓発をしようか」と思い悩むことは、実に価値のある思索活動である。自分を高めるために悩み、思いを巡らすことは、奨励されるべきである。一方、「人間はいずれ死ぬ。死んだらどうなってしまうのだろうか」と毎日心配し続けることは、何の生産性もなく、埒《らち》が明かないものだ。

もちろん、死後の世界に対する不安から、「心の拠《よ》り所《どころ》」を求めて特定の宗教を信仰する人もいるが、特定の信仰を持たない人、持ちたくない人は、このエピクロスの考え方を人生における信条とするのも、一つの方法ではないだろうか。

エピクロスが唱えたように、「身体の健康を基盤とした心の平安」を実現することができれば、人生を生きることは実に楽しいものとなる。そして、充実した楽しい毎日を過ごすことができるようになれば、人間としての「善悪の判断基準」が鈍ることもない。思うに、日常、善悪の判断基準が鈍らなくなれば、人間は、あえてモラルに反する行動を採ることもなくなる。毎日、正しい生き方をするならば、現世の自分の行動に対する後ろめたさから、死後の世界を恐れる必要もない。

心の平安と身体の健康に留意した生活は、まさに現代人に必要なものである。

(1) エピクロスは、サモス島においてアテネ市民の子として生まれた。快楽主義を提唱したギリシアの唯物論哲学者として有名。紀元前３０７年には、アテネに「庭園」と呼ばれる、共同生活の場を兼ね備えた学園を開設した。デモクリトスやレウキッポスの原子論を継承した。

オルフェウス教
――「善」の魂に従うか？「悪」の肉体に従うか？

オルフェウス教（Orphik）は、ピュタゴラス（Pythagoras, 570?–500? B.C.）、エンペドクレス（Empedoklēs, 492?–432? B.C.）、プラトンなどに強い影響を与えた宗教である。オルフェウス教の名称は、古代ギリシアの伝説的な詩人・思想家（または音楽家）のオルフェウスの名前に由来する。

オルフェウス教と非常に深い関係を持つ神のディオニュソス（Dionysos）はバッカスとも呼ばれ、「酒の神」であるとともに、自然の生産力を象徴する「豊穣神」であった。本来、この神はトラキアで祭られていたが、後にギリシアに入ってきたとされている。ディオニュソスの宗教は、もともと「人間の魂は神へと帰還し、神と合一する」と考えられるものだったが、その祭りがあまりにも野蛮で粗暴なものだったため、当時のギリシアで人々に受け入れられるようにするために、そのイメージを改変する必要があった。そこで、オルフェウスがこの宗教を定着させるために、ギリシアの人々に神々と人間の誕生について神話的な説明を行ったのだ。

古代ギリシアは、いわゆる多神教の世界であった。数々の神の中でも、オリンポス12神(1)が最高の神々であったとされる。その中心であるゼウスとペルセポネの間にディオニュソスが誕生するが、それに嫉妬したゼウスの妻ヘラは、巨人族のティタンらを言い含めて、まだ幼かったディオニュソスを襲わせた。

ディオニュソスは変身して幾度も逃れたが、牡牛の姿になった時に捕らえられ、食べられてしまう。しかし、女神アテネがディオニュソスの心臓を救い、ゼウスがその心臓を飲み込み、再び新しいディオニュソスが生まれた。一方、ゼウスはティタンらを雷火で焼き殺し、その灰から人間が誕生したとされている。

ディオニュソスとティタンの両方ともゼウスを介して生まれた経緯から、人間は、ディオニュソス的な「善」と、ティタン的な「悪」という二つの要素から成っていると考えられた。ディオニュソス的な善の要素とは「魂」であり、ティタン的な悪の要素とは「肉体」である。すべての人間は、この魂と肉体が結合して存在しているが、これが本来の「人間の在《あ》るべき姿」ということではない。

オルフェウス教では、「人間の魂は、善なるディオニュソスから由来するものである」

ということが大前提で、魂は『不死不滅のもの』『清らかな善なる存在』である。それ故に魂は、ティタン的な悪の肉体から脱皮し、魂本来の純粋な在り方に徹しなければならないとされている。

だが、実際、人間の魂は肉体に宿っている。魂は罪を犯すこともあり、魂が肉体に宿っている状態は、その犯した罪の故に肉体の中に閉じ込められていることを意味する。このような考え方から、魂にとっての肉体は「牢獄」あるいは「墓場」であると解釈された。したがって、オルフェウス教的には、「魂は、肉体という牢獄、墓場から復活することを望む」ということになる。人間は悪の要素を持ち合わせているので、常に善に近づく努力をしなければならないという意味である。

ちなみに、肉体からの解放は、魂が肉体的悪の要素から完全に浄められた時に、初めて達成できるが、一旦悪に染まると、これを完全に成し遂げることは極めて困難となるという。この目的を達成するために、魂は幾度も生まれ変わることが必要となり、肉体から別の肉体へと転じ続けた（輪廻転生）魂のみが罪の浄めを実現することが可能となるとされている。(2)

オルフェウス教によると、人間は「善」の魂と「悪」の肉体の二つの要素を持っていることになるが、確かに、人間は、魂の赴くままに生きることができれば、悪を行うことはない。例えば、弁護士になりたいという願望を持ち、毎日司法試験のための勉強をしている人を例にとろう。彼は、毎日、睡眠時間を削ってまで勉強している。しかし、そのストレスか、一日20本のたばこを吸っている。睡眠時間を削ってまで勉強するその意思は「魂」に宿るもので、たばこを吸いたいという誘惑は「肉体」から来る欲求だと考えることができる。

もちろん、ストレスが溜まってたばこを吸いたくなる気持ちは理解できるが、「たばこは害あって一利なし」というのは誰でも知っている理屈だ。しかし、それがわかっていても吸ってしまう。人間は、善の魂と悪の肉体という二つの要素で成り立っているからである。

しかし、我々人間がこのような「善と悪の二面性」を十分に理解して毎日を過ごすならば、他人に迷惑を及ぼすような行為をしそうになった時、それを制止する価値ある歯止めになるのではないだろうか。

勉強の傍らたばこを20本吸っている彼の場合なら、たばこに手が伸びた時に「大事な試験をひかえているのに、こんなに吸っていたら身体を壊すかもしれない。たばこ代もかかる」と考え、一日の喫煙量を減らすことが可能だ。

またたばこの例になるが、東京都千代田区は２００２年10月から、人通りの多い指定地区での「路上喫煙」や「たばこのポイ捨て」をした人から過料を取るという、全国初の条例を施行している。こうした公共の福祉に関しても、自分自身に宿る善の魂で物事を判断すれば、他人の迷惑になるような行いをしないように努めることができる。

人間の魂は、「善の源」である。我々は、自分たちの行動について、「これを行うことは果たして善なのか、それとも悪なのか」と、常に思索する存在者として「善なる魂」に問い掛けてみてはどうであろうか。

（1）オリュンポス山に宮居する12柱の神々は、ミュケーナイにおける王宮生活を反映するものである。ゼウスを首長とした家父長制社会を構成するその世界では、先住種族の土着的神々さえもが親縁《しんえん》関係として組み込まれ、全て「階層的位置づけ」がなされている。宇宙の空間は3つに分けて支配され、ゼウスは天空を、ポセイドンは大海を、そしてハデスは地下の冥界を支配した。
（2）ピュタゴラスは、人間の生を何回（一説によると20回）も生きたと考えられていた。また、エンペドクレスは、自分はすでに、少年、少女、鳥、魚、植物として生きており、何度も輪廻を繰り返していると自ら説いた。

トマス・アクィナス
――どんな苦境にあっても理性的な人間であり続ける

トマス・アクィナス[1]（Thomas Aquinas, 1225–1274）は、中世イタリアの盛期スコラ学最大の神学者・哲学者であり、ドミニコ会士、教会博士（doctor ecclesiae）でもある。彼は代表的著作『神学大全』[2]（Summa theologiae）の中で、「人間の生命」と「人間の尊厳・尊厳性」[3]の概念について詳細に論じている。この項では、トマスが『神学大全』において、人間をどのような存在と解釈し、人間の「尊厳」（dignitas）をどう捉えたのかについて考えていきたい。

「生命は神によって人間に授けられた何らかの賜物であり、殺し、かつ生かすところの彼方の権能の下にある」[4]

これは、『神学大全』で構築された「人間の生命」についての大前提である。キリスト教においては、旧約聖書以来、生命は神からの賜物であり、神と呼ばれる存在は、「命の道」を提供する「生ける水の泉」「命の水」とされ、新約聖書においても、神は、「豊かな命を与える者」「生命を与える霊」であると述べられている。

中世の神学者は、「神」や「生命」について、聖書の立場に立脚して論じたが、トマスの場合はそうではなかった。彼は、それらを探求するにあたり、古代ギリシアのアリストテレスから強い影響を受けていた。

トマスはアリストテレスの著書『政治学』(Politica)の一節を引用し、この世に存在する生命の価値について格付けを行った。低位に位置するのは①「生きているもの」(vivum)、中間に位置する存在は②「動物」(animal)、上位に位置するものは③「人間」(homo)であり、これらの最上位にあるものが命への導き手としての「主」であると説いたのである。

トマスは、一般的に植物のような生き物は、すべての動物のためにあり、動物たちは人間のためにある。したがって、もし、人間が植物を動物たちの飼料として使用し、動物を人間の食料や家畜として使用したとしても、不当なことではない。植物を動物の使用に供するために、また動物を人間の使用に供するために殺すことは、神的な秩序づけそのものからして、許されているのであると説明している。

これは、「不完全なものは、より完全なもののために存在する」という大前提から出発したものであるが、動物愛護や環境保護が叫ばれる現代では、かなり極端に感じられる考え方である。

しかし、そもそも動物の一種である我々人間が、他の動物よりも上位に位置づけられているのは、理性を持ち、真理を認識する能力があるからである。トマスも、理性的被造物が、それ以外の被造物を越える所以《ゆえん》のものは、知性ないしは精神にあると述べている。

彼は、極力、人間を理性的なものと捉えようとした。理性を巧みに作用させ、認識したり知的に捉えることができる限りにおいては、非常な優位・尊厳性のある人間である。非常な優位・尊厳性のある人間とは、理性的に生きる者を指し、罪人や悪人などの非理性的動物としての人間は、確かにヒトではあるが、「尊厳の所有者」ではない、というのがトマスの解釈である。

理性的に考えない人間は、尊厳を有する人間ではないというのは、非常に厳しい言葉である。しかし、我々現代人にとって必要な言葉でもある。

例えば、ある人が高利貸しの金融業者に多額の借金をし、それを返済できないことから、脅迫じみた電話がかかってきたり、家にやって来る取り立て人に「返せないんだったら最初から借りるな！」などと怒鳴られる毎日を送っているとする。彼は運悪く、２

カ月前に会社の経営難からリストラされ、仕事も失ってしまった。このままでは、妻と幼い子供二人を路頭に迷わせることになる。やがて、どうしようもないから「夜逃げでもしよう」と考える。

しかし、夜逃げは、極めて非理性的な行為と言わざるを得ない。夜逃げの先に夢の生活が待っているわけでもなく、表社会に出られない生活を余儀なくされる。つまり、夜逃げは単なる現実逃避であり、その行為は、自分も家族もいっそう路頭に迷う原因を作ってしまうのだ。

いずれにしても、借りたお金は少しずつでも返すのが社会のルールである。どうにもならない場合は自己破産などの法的手段もある。それに、「いざとなれば、どんな下働きでもする」という心構えさえあれば、働き口は必ず見つかる。

人間は、どんな事態に陥っても、野良犬のような生き方はすべきでない。好きなところでつまみ食いをし、また違う場所で餌を見つけるという生き方は、人間としての生き方とは言えない。理性的存在者である人間は、何かを食べる際にはその代償を払う。逆に、代償を払うことで好きなものが食べられ、好きな場所に住む権利を行使できるのだ。働くことで金を稼ぎ、生活の糧にするという、基本的なプロセスを忘れてはならない。

突然、思わぬ苦境に陥った人は、「そんな正論は言っていられない」と思うかもしれない。また、本来、理性的に考えようが、考えまいが、本人の自由である。しかし、我々人間は、本能の赴くままに行動することはできない。理性的に物事を考え、理性的存在者として行動することが、我々のすべき生き方である。そうすることによって初めて、人間は「尊厳ある存在」となることができるのだ。

（1）トマスは、ナポリ郊外のアクィノ領・ロッカセッカ城で誕生した。5歳の時、モンテ・カッシーノのベネディクト会修道院に入り、その後、ナポリ大学で学んだ。１２４４年、ドミニコ会に入会。１２４５年、パリでアルベルトス・マグヌスに師事する。１２５６年には神学教授資格を授与され同年にパリ大学神学部教授に就任した。１２７２年にはイタリアに戻ってナポリ大学などで教える。１２７４年に没した。

（2）12世紀から13世紀にわたって多数のスコラ神学者（オセールのギレルムス、イルズのアレクサンデルなど）によって『神学大全』が執筆されたが、トマス・アクィナスの著書が最も評価されている。トマスの『神学大全』は3部から成るものであり、第1部の執筆は１２６６年、41歳の時である。第3部の最終部分を仕上げようとしていた時期に、彼はこの世を去ってしまったが、ドミニコ会における彼の友人、ピペルノのレギナルドスがトマスの『命題集注解』（Scriptum super libros sententiarum）から該当する部分を抜粋・編纂して完成させた。

（3）トマスが用いるラテン語の「dignitas」は、「尊厳」の他「威厳」「品位」「重要性」「優位性」「身分」「役割」などを意味する。

（4）『神学大全』（トマス・アクィナス著／稲垣良典訳／創文社／1985年）第18巻172頁参照。

デカルト
――「我思う、故に我あり」を自分に応用する

近代哲学の祖、解析幾何学の創始者、大陸合理論を唱えたとして知られている、フランスのデカルト[1]（Rene Descartes, 1596-1650）は、著書『方法序説』の中で「我思う、故に我あり」（cogito, ergo sum）という有名な言葉を残した。

デカルトは、この著作の中で、この世のあらゆる事物を懐疑した上で「意識の内容」は疑えるが、「意識する自分の存在自体」は疑えないという結論を導き出した。彼はこれを第一原理とし、懐疑することを確実な認識のための出発点とした。

少しでも疑わしいものは、すべて疑う。これはあらゆる学問に共通する基本である。例えば、あなたが今、自分の部屋で椅子に座り、テーブルの上に置かれた花瓶の存在を疑っているとする。人間の感覚は時として誤ることがあるので、もしかすると視覚で捉えているはずの花瓶が、実は花瓶ではないかもしれないし、部屋の中で椅子に座ってい

るという状況も、あなたが見ている夢かもしれない。しかし、花瓶の存在を疑っている「あなた自身の存在」は疑うことはできない。これが「我思う、故に我あり」である。

デカルトは自身の懐疑論において、目の前にある事物をただ闇雲《やみくも》に疑うのではなく、あくまで明確な真理に到達するという、極めて客観的・科学的な目的を達成するために「疑う」という思考を唱えた。

この懐疑的思考方法は、哲学のみならず、この世に存在するすべての事物に対して適用することができる。そして、我々現代人にとっても、事物をただ単に信じるだけが能ではなく、とにかく疑ってみる、あるいは問題意識を持って考えてみることが重要であるという、いわば「思索のパイロット」（案内人）のような役割を果たしている。(2)

例えば、信号機は交通整理をするのに必要不可欠な道具である。では、「停電になったら、電気で動いている信号機はどうなるのだろうか。色で指示できず、車が衝突するのではないか」という疑問を持ったとする。こう考えることは、決して滑稽な思索活動ではない。

もちろん、停電の際には非常用の電気で信号機が作動できることは、警察官や電気会社の社員でなくても、常識的に考えればわかることである。しかし、「信号機が作動するのは当たり前」という枠組みから出たことのない人は、停電の際には非常用の電気が作動するということさえ考えない。少しだけでも疑問を持つと、思索する範囲が広がり、知恵が増えるのだ。

当たり前のことを、当たり前のこととして放置しておかない。これこそが既存の知識を「枯れた知識」にしないより良い方法である。それ故、我々は、「すでに知っている」という現状に甘んじることなく、常に物事に対して改めて「問い直す」というスタンスを忘れてはならないのだ。そうした問い直しこそが、次の新たな思索を導き出し、その思索をするために、また新たな情報や知識を仕入れることになる。

我々は、そのようにして得た情報や知識をスマートに融合し、再び新たな思索を行う。このような終わりなき思索の蓄積こそが、人間を真理の探究者として成長させるのである。

（1）デカルトは、ラ・エの法服貴族の身分に生まれ、１６０６年から9年間、イエズス会が運営するラ・フレーシュの学院でスコラ学の教育を受けた。１６１６年、ポワティエ大学から法学の学位を授与される。１６１９年に従軍、その後はパリで研究生活を送った。

１６２８年、自由な研究生活を求めてオランダに移る。オランダでは、形而上学、自然哲学、医学などを研究した。有名な『方法序説』は、ライデンのヤン・マイレ書店から刊行された。１６４３年、オランダのユトレヒト大学でデカルト哲学が禁止される。

１６４９年、スウェーデン女王に招かれてストックホルムに移るが、翌年に病死。著作は、『情念論』『省察』『第一哲学についての省察』『精神指導の規則』など。

（２）人類の歴史において最初の懐疑論者とされているのは古代ギリシアのピュロン（Pyrrhōn, 365?–270? B.C.）である。ピュロンはアリストテレスと同じ時代を生きた哲学者で、ソクラテスと同様に自身の著作はなく、弟子のティモンが書いた言行録によってその考え方を知ることができる。なお、「懐疑論者」に該当するギリシア語は「skeptikoi」（探求者）で、「絶えざる探求の道のりにある者」を意味する。

ホッブス
――「万人の万人に対する戦い」を回避せよ！

ホッブス[1]（Thomas Hobbes, 1588-1679）は、ヨーロッパにおいて最初に社会契約論を展開した哲学者である。社会契約論は、「人民がそれぞれの権利を保護するために、自らが相互に契約を結ぶ」という考え方である。この考え方は、いわゆる自然法思想の発展によって誕生したものである。

ホッブスによると、人間は「自己の生命」と「身体の保持」を欲する動物である。また、どんな状況に遭遇しようとも、自分の生命を維持するために、望むままに自分の力を使う「自由」を持っている。そもそも、すべての人間は、自然によって肉体的にも精神的にも平等に作られていると彼は考える。むろん、極端に肉体的に強い者もいれば、精神面で抜群に優れている者も存在するが、総じて考えると、多少の個人差はあっても、本来の自然状態においては、すべての人間は平等に作られており、自分が望むこと、したいことをするという「自然権」を持っていると、ホッブスは説いた。
しかし、ものの価値観、人生観が異なる者の間で、同時に自分が望む行為を行おうとする時、しばしば衝突が起きる。各人がしようとする行いによっては、ある種の利害関係が生じるからである。世の中の常として、互いに利害関係が生じると、人間は、自分自身の望みを叶えるために衝突する。

この場合、生じるものが単なる衝突や奪い合いであればまだよいが、時には、自分の利益を実現するために暴力を用いて相手を服従させたり、殺したりすることもある。このような人間のネガティブな側面は、いわゆる「万人の万人に対する戦い」を招くことになるのである。

自然状態のままでは、人間社会は「ある種の戦争状態」になってしまう。すべての人間が一方的に自分の自然権を行使しようとするならば、究極的には自分の生命をも危うくする危険性があり、たとえこの世に生きていられたとしても、自分の自然権そのものをも失うことになる。

人間はこれに気付いた時、「万人の万人に対する戦い」を自ら放棄し、相互に平和を築く目的で、すべての人間が安心して暮らしていくことができるように、自分の自然権の一部を放棄し、一つの権力に委ねることの重要性を認識する。ホッブスは、このような理性によって発見された法則を「自然法」と呼んだのだ。

人々は、相互の利益を守るために社会契約を結び、自分の権利を一個の君主や合議体に譲渡する。この形こそが、いわゆる「国家」なのである。人々から権利を譲渡された者、すなわち主権者は、人々の契約に基づいて義務を履行するために絶対的権力を持ち、それを実行する。

人々は、一旦、契約を結んだ以上、主権者の命令には絶対的に服従しなければならない。人々が主権者の命令に服従しないために、主権者の権力や権威が弱くなってしまうと、再び平和な社会を維持することは困難となり、「万人の万人に対する戦い」が蔓延する自然状態へと逆行してしまうからである。

ホッブスの社会契約説は、強大な主権の絶対性を是認するものであった。そうしたことから、彼は絶対君主や独裁者の擁護者であるという批判も受けることになった。

しかし、個々人における「平等な自然権」という考え方からスタートして、「社会契約を通して安全に暮らせる国家を創造する」という独自のセオリーは、「国家主権の絶対性は、国民一人ひとりの自然権に依拠《いきょ》するものである」という理想的な考え方として意気揚々と生き続けた。そしてこの考え方は、近代民主主義の基本原理として、後のロック、ルソーに引き継がれたのである。

（1）ホッブスは、イギリスの西南部マクスベリにて、牧師の子として生まれた。自然権と社会契約説を基盤とする近代国家論の創始者として有名。オックスフォード大学で学んだ後、貴族の家庭教師となる一方、ガリレイ、デカルトと交流を図る。主著は、『リヴァイアサン』『法学原理』、3部からなる『哲学原理』など。

ロック
――日本人はもっと権利意識を持つべきである

社会契約論はホッブスによって始められたが、彼の理論にはまだまだ弱点があった。ホッブスの後を継ぐように社会契約論を発展させたのが、イギリスのロック[1]（John Locke, 1632-1707）である。彼は、自然状態とは「人間が自然法の範疇《はんちゅう》において自分の行動をし、自分が望むままに所有物と身体について維持できる、自由かつ平等な状態である」と考えた。自然状態では「万人の万人に対する戦い」が起きるとしたホッブスとは違い、そこには理性が存在し、理性がすべての人間をコントロールしている、と唱えたのだ。

しかし、ロックも自然状態においては、人間の生命、自由、資産などの安全を確保するために必要な、①正しい尺度としての「法」、②一定の方法に従って紛争解決を行う「公平な裁判官」、③正しい裁判の後にそれを執行する「権力」という三つの存在が欠如していると考えた。

自然状態において人間は自由で平等だが、これら三つが欠如することで相互に敵対し、悪い条件の下で生活することを余儀なくされている。そのため人々は、平穏に暮らしていくことができるように、自然状態において保持していた自由を放棄して、契約を結び、その権利を共同社会の代表者に委ねるのである。ここにいわゆる「国家」という一つの政治形態が成立することになる。

ロックは、自然状態や自然法についてはホッブスとは見解を異にしていたが、「人々が自分たちの安全を実現するために社会契約を結び、国家を作る」という観点においては同じ考え方を持っていたと判断できる。

ロックの社会契約論の特徴としては、いわゆる人々における「抵抗権」の存在を明確に述べ、それが広く認められているというところにある。

これは、為政者が国民に委ねられた権力を行使する際に、委ねられた権力の範囲を超えて国民を苦しめる事態が起きた時、「国民はこれに抵抗する権利を持つ」という考え方である。国民は絶対的に服従するのではなく、為政者が国民との契約に反した場合、その為政者を更迭できるということだ。これは、イギリスの名誉革命（Glorious Revolution）における理論的根拠づけとして役割を果たし、後のフランス革命、あるいはアメリカの独立運動においても多大な影響を与えた。

　さて、現在の日本では、長い間にわたって国民の政治に対する無関心が取り沙汰されているが、これはまさに「日本人がいかに抵抗権についての権利意識がないか」という証ではないだろうか。

　そもそも、国政は国民一人ひとりの利益・幸福のためにある。しかし我々は、よほど大きな事件や不祥事でもない限り、国会での議論や与野党の動向について、熱心に追及しようとしない。政治についての情報といえば、娯楽番組を楽しむついでにニュースで政局の動きを知るとか、新聞をざっと読み流す程度のものである。毎月、相当な税金を国に納めているにもかかわらず、その税金がどのようにして使われているか、あるいは使われようとしているのかについて、多くの人は積極的に知ろうとしない。

　まず我々は、国に税金を納めている以上、「抵抗権は、納税者の権利である」という誇り高き意識を持つことが肝要だろう。お金を払っている以上、そのお金の使われ方について追求する権利を持っているのである。

　例えば、月に25万円の給料をもらっている企業の若手社員が、せっせと貯金をして40万円を貯め、ヨーロッパ旅行のツアーに参加したとする。ツアー中に何か不都合が生じれば、彼はツアーコンダクターに「ちょっと困ったことがあるんですが……」と相談するだろうし、料金に含まれているサービスが実行されなければ、迷うことなくクレームをつけるに違いない。

彼は、一般の会社員だ。法律に詳しいわけでもないし、権利の概念について深く考えたこともない。しかし、ツアー中に気兼ねなく相談したり、クレームをつけたりするのは「一生懸命に貯めた自分のお金を旅行会社に支払ってツアーに参加している」という事実がそうさせているからだ。

人間は、お金を払うと、自然と権利意識を持つようになる。これは何も、旅行だけでなく、毎日の生活で行われるほとんどのことに該当する「意識の動き」といえる。レストランで注文したカレーライスの中に髪の毛が一本入っていることに気付いた時、あなたはどうするだろう。最初は「参ったな」と困り果てるだろうが、ほとんどの人は「すみません、この中に毛が入っていますが……」と店員に伝えるのではないだろうか。

私は、人間の権利意識というものは、こうした心の動きにあると考える。つまり、お金を払って食べるカレーライスの中に毛が入っていることは、見方を変えれば、「国民一人ひとりが税金を納めて任せている政治に問題が起きた」ということと同じなのだ。政府や政治家に対して何か不満があった時、自分の労働で稼いだお金を税金として国に納めている以上、ずっと口を閉ざしたままでいるのは、決して分別のある市民の行為とは言えないのだ。

（1）ロックは、イギリス西南部リントンのピューリタンの家庭に生まれる。後にオックスフォード大学に入学するが、大学のスコラ学に失望。学外で医学や自然科学、デカルトの哲学などを学ぶ。一時、オランダに亡命し、そこで『人間知性論』を発表。名誉革命後はイギリスに帰国し、新政府の顧問を務めた。代表作は、『統治二論』『寛容についての書簡』など。彼の思想は、後のフランス革命やアメリカの独立に多大な影響を及ぼした。

ルソー
――貧しさのどん底から這い上がった、偉大な啓蒙思想家

ルソー[1]（Jean-Jacques Rousseau, 1712–1778）は、ホッブスやロックの社会契約説がヒューム[2]（David Hume, 1711–1776）によって批判された時、さらに明瞭に社会契約説を再構築し、すべての人民を主権者とする直接民主主義の思想を打ち出した。

ルソーは、自然状態における人間は、喉が渇けば小川の水を飲み、空腹になれば自然の食物を食べ、眠くなると樹の下で寝る「幸福な未開人」であるとした。彼は、人間に対するこのような見方から、「人間には何ら社会的な不平等は存在しない」と考えた。

幸福な未開人である人間は、パーフェクトな自由・平等・独立を持っているが、やがて人口が増えると、社会的な不平等が生じる。つまり、限られた土地において多くの者たちが自分の権利を主張し、平和であった自然状態が崩壊し始めるということだ。ルソーによれば、「土地に囲いをして、『これは俺のものだ』と宣言することを思いつき、それ

をそのまま信じるような単純な人々を見出した最初の者が、市民社会の真の建設者である」という。

いずれにしても、一定の土地において人口が増えてくると、人間と人間の間に不平等が生じ、社会生活において裕福になる者と、貧乏な者、苦しい生活をせざるを得ない者が出てくる。さらに、厳しくコントロールされた支配と隷従の関係も現れてくる。

ホッブスが説いたように、人々の間で「ある種の戦争状態」が始まると、人々は、富と権力を持つ者のために作られた法律や政治システムを認めるようになる。しかし、一旦そうなってしまうと、とりわけ富と権力を持つ者が行使しようとする「不当な権利」を放置し、それを正当化させてしまうだけでなく、人類全体を労働、隷属、悲惨という権利意識の欠如した世界に陥れる原因を作ってしまうことになる。

ここまでは、いわゆるそれまでの社会契約説における考え方であるが、ルソーのセオリーはもう一歩進んでいる。

彼は、「人間は、自然状態にとどまることができなくなったら、互いの利益が衝突して互いに滅びることを避けるために、巧みに生活スタイルを変え、より大きな力を生み出すべきだと主唱する。これを「力の総和」という。

「力の総和」は、多くの人々の協力によって生まれる。だが、もともと存在するそれぞれの人間の「力」と「自由」は、それぞれの自己保存のためには必要不可欠である。したがって、力の総和を実現しようとする場合にも、個々の人間の力と自由を侵害するような行為は許されるべきでない。

では、一体どうしたら自然人が持っている自由と平等を守れるのであろうか。

ルソーは、個人の身体と財産を守るために、「共同の力を駆使して全力で保護する総合形態を作り出す」ことによって実現されると唱えた。この「総合形態」を構築する上で、社会契約が大きな役割を担う。この社会契約は、各構成員が「自分自身を、自分が保持する権利とともに、共同体の全体に譲渡する」という考え方を持つことで成り立つとされる。すべての構成員が全面的に共同体に没入するのであれば、自己と共同体は一体となることができ、これによって「完全なる自由」が確保され、「欠陥のない協力」を実現することができるからである。

要約すれば、すべての者が自らの身体とすべての力を共同のものとし、「一般意志」(公共の利益を目指す意志)の最高の指導の下におく、そして、すべての者は他の者を、全体を構成する一部として受け入れるということだ。

このようにして、ルソーの社会契約説は、一つの「スピリチュアルな集合体」を形成する。この集合体は、投票者と同じ数の構成員から成り立ち、共同の自我や意志を保持する極めて統一性のあるものである。この公的人格は、受動的に法に従う時には「国家」と呼ばれ、能動的に法を作る時には「主権者」と呼ばれる。また、他の同種の集合体と比較する際には、「国」と呼ばれる。

人々は、これを大前提として、一度は、生まれながらに持つ自由と権利を喪失し、確実に保護された「社会的自由」と「所有権」を新たに獲得することになるのである。この社会的自由は、いわゆる一般意志の制約の下にあるものだが、自然的自由よりも質の高い「道徳的自由」といえるものだ。

ルソーは、絶対的権力を誇る政府は、「人民の意志の執行機関」であると明言している。この考え方こそが、いわゆる直接民主制を表象するものであり、この政治思想は、後のフランス革命に大きな影響を与えたばかりでなく、他の国々はもとより、我が国の自由民権運動においても大きな影響を与えている。

▼「理性なきキャンパス整備競争」からは、偉大な思想家は生まれない

現在、日本の大学は、少子化の時代に向けて、「どうしたらより多くの優れた学生を獲得できるか」という課題に必死に取り組んでいる。

各大学は、自らの大学を外観を綺麗にするため、設備投資を躊躇なく行い、現代の若者文化や感性にマッチするように、キャンパスを整備することにしのぎを削っている。豪華で広いロビー、高い天井、モダンなシャンデリア、電子掲示板、銀行のATM設置、インターネットの接続体制はもとより、エスカレーターまで設置しているところもある。エスカレーターがあるのは便利といえば便利だが、デパートではあるまいし、どうして大学にそんなサービスが必要なのであろうか。このような構内でお洒落な学生たちが雑談をしている風景を見ると、「ここは、どこかの一流ホテルだろうか?」という錯覚にさえ陥りかねない。

現代の若者は、「キャンパスが綺麗でしかも便利でないと立派な大学とは言えない」という感覚を持っているのであろうか。しかし、少なくとも、1990年代初頭までは、古い校舎に汚い立て看板が並ぶ雑多な環境の中で、学生たちが黙々と基本書を読み漁《あさ》るという風景が、大学のイメージであったはずである。今、そんな大学の風景は減少傾向にあるといえる。

このような大学間の学生獲得のための過当競争は、ルソーのような偉大な思想家を生み出す教育の道とは逆行していると、私は考える。ルソーの幼少時代は、家庭の事情もあって、恵まれた生活環境ではなかった。彼は丁稚奉公や放浪の旅によって、とにかく社会における様々な現実を自分の目で見、肌で感じたのだ。彼は、いわゆる「手取り足取りの教育」は何ら受けていないし、正式な学位も取得していない。

ルソーは、様々な恵まれない経験をポジティブに活用し、学問を真剣に学び、「人間とは何か」「社会とは何か」「人間は社会の中でいかに生きるべきなのか」という課題に取り組んだ。彼の姿勢は、学問を学び、思索を積むためには、暖衣飽食の環境ばかりが能ではなく、真に大切なのは「本当に大事なものを見る目を養う」ことであると、現代の我々に示唆してる。

今日の日本の大学では、生き残りをかけて、よりクオリティーの高い大学になることを目指し、それぞれが「熾烈なキャンパス整備合戦」を展開している。ところが、それは目に見える大学の外観の過当競争であり、学問自体のクオリティーを高める、学びの場としての競争ではない。大学の経営陣は、その点をもっと考えるべきだろう。

真面目に学問を教えたいと願う大学は、目に見えるキャンパスや校舎などを綺麗にするよりも、学生一人ひとりの「個性」「力量」「可能性」を見極め、きめ細かい教育・学問研究ができる体制づくりにエネルギーを注ぐべきである。

例えば、まだ使える校舎を取り壊して新しい校舎にする経済的な余裕があるならば、教員の数を増やし、もっと多くの時間、学生と教員が対話できる環境作りを試みるとか、図書館や研究施設は、外観よりも中身を重視するという策が考えられる。

教育に携わる専門家たちは、物事の価値を見た目だけで判断するのではなく、中身そのもの、つまり「本質」を見極める能力を備えた若者たちを輩出できる教育を行うことに目を向けるべきである。

本質を重要視しないで、見た目だけで学生の人気を得ようとする大学の経営戦略は、実に非理性的である。貧しい家庭環境の下で育ったルソーが、日本の大学の「理性なきキャンパス整備競争」を見たら、一体どのような気持ちを抱くであろうか。

（1）スイスのジュネーブで時計職人の息子として生まれたが、母は数日後に他界。7歳頃から父とともに小説や歴史を読み始める。やがて、家庭の事情で牧師に預けられ、後に彫金工の弟子となるが、その3年後に放浪の旅に出る。1731年にシャンベリーのヴァランス夫人に救われ、愛人となる。
1740年、フランスのパリに出たルソーは、後に作家・思想家のディドロ（Denis Diderot, 1713-1784）などと親交を深めるようになる。1745年には、下宿の女中を愛人とし、5人の子供をもうけるが、子供たちを次々と捨てる。

ルソーは幼い頃から徒弟奉公や放浪などを通して、民衆の生活の苦しみを自らの肌で経験したが、そうした苦しい経験が、彼が徹底的な現状批判を展開した原因となったのではないかと伝えられている。主著は、『学問芸術論』『人間不平等起源論』『社会契約論』『新エロイーズ』『エミール』など。

（２）スコットランド出身の哲学者・歴史家。エディンバラで生まれ、地元のエディンバラ大学で法律学を学んだが、哲学に深く傾向する。総じて経験論を唱え、従来の形而上学を批判し、実体や因果法則などの観念は主観的な認識に過ぎないと唱えた。

ヒュームは、政治思想において、ホッブスが唱えた自然状態や、ロックが唱えた社会契約説を強く批判した。公共的利益を目指す自然発生的動機に国家・社会の形成の起源を求めたのである。主著は、『人性論』『道徳・政治論』『英国史』『人間知性研究』など。

モンテスキュー
――『ローマ人盛衰原因論』から日本の企業の在り方について哲学する

１７２１年、フランスの啓蒙思想家・モンテスキュー[(1)]（Charles-Louis de Secondat, Baron de la Brede et de Montesquieu, 1689-1755）は『ペルシア人の手紙』を著し、当時のフランスの政治と宗教について厳しい批判を展開した。さらに１７４８年、彼の主著として広く知られる『法の精神』（De Iésprit des lois）を発表し、「三権分立論」を唱えた。

モンテスキューは、「法は、事物の本性から生じる必然的関係である」とした。この観点から述べれば、ありとあらゆる存在物は、何らかの「法」を持つことになる。例えば、神には神の法があり、人間には人間の法がある。また、理性的に考えることのない犬にもある種の法がある、とした。

加えて、モンテスキューは、国家には立法、執行、裁判という三つの権力があるとした。

いわゆる「立法」「行政」「司法」である。彼は、これら三つの権力が、同じ人間あるいは組織によって行われる場合、権力は乱用され、人民の自由が侵されると考えた。それ故に、それぞれの権力は完全に独立した形で行使されなければならないと唱え、有名な「三権分立論」を主張したのであった。

彼は、当時のフランスにおいて、現実に行われている政治体制について直接的に批判した、初めての啓蒙思想家であった。そして彼が唱えた理論は、１７８９年に勃発したフランス革命において、大きく威力を発揮することになったのである。

モンテスキューが三権を分立させようとしたスタートラインには、「人間一人ひとりの自由の保障」という大きなビジョンがあった。人間の自由を保障するためには、言うまでもなく権力の保持者による権力の乱用を防がなければならない。

そこで、三つの権力間に、抑制と均衡の関係を作り出し、それを半永久的に維持していく必要がある。モンテスキューは、その中でも「司法権の独立」について重要視していた。

この三権分立論における司法権の独立は、広く世界中の近代憲法に影響を与えたが、特に、新大陸アメリカで制定されたアメリカ合衆国憲法に「司法権の優位」のスピリットが生き続け、合衆国裁判所において公平かつ独立した数々の司法判断が行われてきたことは広く知られている。

モンテスキューは、著書『ローマ人盛衰原因論』の中で、「かつてのローマ共和国は自由な国であったが、その自由な国が自由を失ってしまった。その理由は、ローマが肥大化するにともない、征服主義的な帝国になってしまったからだ。つまり、ローマの肥大化が、自由を失う原因であったのだ。国家の肥大化は内乱を誘発し、遠隔地での戦争は市民の共和国精神を消滅させる原因を作ってしまったのである。ローマは新しい土地で侵略をすればするほどパワーを失い、最後には滅亡するに至ったのだ」と述べている。

これは、よりよい国づくりのための価値のあるヒントともなるが、現代の日本の企業のマネージメント理論としても、実に役に立つ考え方である。

1990年代初頭のバブル経済崩壊以降、日本の多くの企業は、実に苦しい経営体制を余儀なくされてきた。どの企業も、毎年、少しでも盛り返しを図ろうと、手を替え品を替え営業戦略を練り、真剣勝負のビジネスを繰り広げてきた。そうした企業努力は実に美しい姿だが、ここでもう一度原点に戻って、企業のマネージメント哲学を考えてみようではないか。

モンテスキューは、ローマ帝国の盛衰について、「国家の肥大化は内乱を誘発する」「遠隔地での戦争は市民の共和国精神を消滅させる原因を作る」「新しい土地で侵略をすればするほどパワーを失う」と述べた。国家と企業は異なる性格を持っているが、「組織体をいかに運営するか」という意味では、同じ考え方ができると思う。

今の日本では、「今はこんな時代だ。理想論や正当論をくどくどと考えるのはもうやめて、少しでも収益を増やすことを考えよう」「確かに人材は宝ではあるが、人件費はこれ以上出したくない」という経営方針を実践している企業が増える傾向にある。しかし、そうした方針で事業を行う企業は、いずれは経営が傾く運命を背負っていると言わざるを得ない。

まず、前者をシンプルに述べれば、「ビジネスにおけるコンセプトはどうでもいい。とにかく金儲けだ！」ということであり、後者は「できる人材は欲しいが、給料はできるだけ安く払いたい」ということである。だが、そもそもコンセプトがしっかりしていないプロジェクトが大成功を収める道理がないし、力量のある人材を確保したければ、それなりの給料・待遇を与えなければならない。

『ローマ人盛衰原因論』を深読みすると、「ローマを守り続けたいのであれば、まず足元を固めよ！」という理屈が、価値ある教訓として導き出せる。つまり、国家も企業も、ただそれを大きくすることが能ではなく、確固たる哲学と理念を持って同胞との信頼関係を築き、組織の礎を強固にすることが重要なのだ。大企業・中小企業にかかわらず、

「闇雲に手を広げるのではなく、足元を固めよ！」という基本精神を大切にしてこそ、この難しい時代を乗り切ることができるのではないだろうか。

（1）フランス南西部ガロンヌ川に沿う葡萄酒の集散地として有名な港町・ボルドーの近くの小さな村に、軍人の息子として生まれる。ボルドー大学に入学し、法律を学ぶ。1716年、ボルドー・アカデミー会員に選ばれ、後にボルドー高等法院副院長になる。1728年から4年間、ヨーロッパ各地を旅行する。主著は、『ペルシア人の手紙』『ローマ人盛衰原因論』『法の精神』など。

カント
——理性的な人間にのみ「人間の尊厳」がある

カント(1)（Immanuel Kant, 1724-1804）は、近代の倫理思想において意志の自律の倫理学を確立させ、人間性の尊重・人格の尊厳を強く訴えた哲学者であり、ドイツ観念論哲学の創始者である。

カントは、人間は「尊厳」（Wurde, dignitas）を持つ存在であり、自他の人間性（人格）の尊厳を侵害するような行為をしてはならないと主張した。その根拠は、人間の存在は何かの「目的」（Zweck）のためにあるものであり、単に「手段」として使用されてはならないという考え方から導かれる。

彼は自身の著作の中で、「人格の内に宿る人間性の尊厳」という表現を用いている。これは、人間は「内的尊厳」「絶対的内的価値」を有する存在であるという意味だ。この内的価値こそが「尊厳」そのものなのである。

目的と手段について、カントは、理性的存在者は「目的自体」として存在し、誰かの単なる手段として存在するのではなく、自己自身に対する行為においても、あるいは、他のすべての理性的存在者に対する行為においても、「絶えず同時に目的として見られねばならない」と述べている。彼は、この理性的存在者のことを「人格」(Person)と呼び、「人格は絶対的価値を有する」と明確に述べた。それとは反対に、単なる手段として相対的価値を有し、値段が付けられ売買の対象となるような存在物を「物件」と呼んだ。

人間の尊厳を強く主張したカントだが、この地球上に存するいかなる人間であっても、不可侵な、喪失され得ない「尊厳性」を先天的に備えているわけではないとも述べている。この世には実に多様な人間が存在している。その人間たちは「理性的人間」と「非理性的(動物的)人間」の二つに分けられる。カントは、この二つのうち、いわゆる「理性的人間」のみが目的としての尊厳性を有しているという捉え方をしたのだ。

カントが説明する「尊厳」とは、言うなれば「価値」、極めて「無比なる価値」である。彼はまず、人間性そのものが尊厳であり、人間は、いかなる価格を提示されても売買されるものではなく、決して失うことのできない尊厳を有していると論じた。

さらに、「善き意志」こそが、人間の存在に絶対的価値を持たせることができる唯一のものであると説明した。彼は著書『判断力批判』(Kritik der Urteilskraft) において、「私たちの人格の内の人間性の尊厳、ならびに人間の権利に対する敬服」という表現を用いて、尊厳が認められる対象となる人は、「人格の内に人間性が認められる人」であると述べている。

この尊厳について考える際に留意すべき点の一つは、カント思想では人間の尊厳性が「神聖性」(Heiligkeit) に通じるとしたことだ。すなわち、個々の人間が有する人間性は、個々の人間にとって神聖でなければならない。その理由は、人間は「道徳的法則の主体」であり、それ自身が神聖なるものの主体として考えることができるからである。

カントが「人間の尊厳性」をいかに「人間の神聖性」に関連づけたのかについては、『実践理性批判』(Kritik der praktischen Vernunft) の一節で顕著に示されている。本来、人間はあまり神聖ではないが、人間が有する内なる人間性は、人間にとって極めて神聖であるべきである。人間は、自己の自由の自律のために、神聖な道徳的法則の主体であるといえる。この主体は、決して単なる手段として用いられるべきではなく、目的自体として用いられなければならない。

カントはこのように、我々人間は、人格的存在として道徳法則の主体である限りにおいて目的自体なのであり、そのために「尊厳性」「神聖性」を持っているのだ、と唱えたのであった。

我々は不幸にも、毎日の生活で、我々自身が「道徳法則の主体」であり、「尊厳性」「神聖性」を備えた存在であるという意識をほとんど持たずに生きている。職場で少しばかり自分よりも優れた能力を持つ人がいれば、知らず知らずのうちに嫉妬心を抱くし、仕事が終わって同僚たちと一緒に酒を飲みに行けば、気に入らない相手の悪口を言い、それを酒の肴《さかな》にしたりする。

しかし、カント哲学の一端でも知るようになると、大した理由もなしに他人に対してネガティブな感情を抱くことは、実に「非理性的な心の動き」であると気付く。

いかなる人間であっても、この世に生まれた時には汚れのないピュアーな赤ちゃんである。赤ちゃんは次第に成長し、必要な教育を受け、一人前の大人となる。成長するプロセスがどうであれ、人間は皆、「考える能力を持つ存在者」として生きていく。仕事で成功しようと、失敗しようと、すべての人間は常に理性的な生き方を試み、「尊厳」を有する存在者として人生を謳歌する権利を持っているのだ。

それ故、我々は、自分の人生を生きる過程で、どんな不幸や災害に遭遇しようとも、絶えず「尊厳ある理性的存在者」として、価値のある生き方を試み続けることが重要である。

今の世の中、お金さえあれば何でも手に入り、便利な生活をすることができる。それでも忘れてはならないことは、「尊厳ある理性的存在者として、モラルに則した生き方をいかに全うするか」という問題意識を持ち、深く哲学しようと試みることである。

カントは、自身の理論の厳格性に見られるように、非常に厳粛なスタンスで豊かな思索活動を展開することに一生涯専心した偉大な哲学者であった。カントはケーニヒスベルク大学で学生に講義する際、「単に暗記するための思想を学ぶのではなく、『思考すること』を学びなさい」「哲学を学ぶのではなく、『哲学すること』を学びなさい」と述べたと伝えられている。

（1）カントは、東プロイセンのケーニヒスベルク（現在はロシア領カリーニングラード）に生まれた。１７３２年、同地のフリードリッヒ学院に入学して古典語を学び、１７４０年にケーニヒスベルク大学に入学。哲学、数学、自然科学、神学を学び、１７５５年に同大学私講師となる。その後、１７７０年からは正教授として教鞭を執り、論理学、形而上学を教授した。１７８６年と１７８９年には同大学総長に就任。

カントは、啓蒙思潮の時代を生き抜いた哲学者であり、イギリスの経験論と大陸の合理論の長所を融合させ、新たな認識批判と認識理論の根拠を築いた批判哲学、そして超越論的哲学の創始者となった。彼の批判哲学は、ドイツ観念論哲学の基礎を構築するとともに、広く欧州の哲学史に対して強い影響を与えた。主著は、『純粋理性批判』『人倫の形而上学の基礎づけ』『実践理性批判』『道徳形而上学原論』『判断力批判』など。

ニーチェ
――現実を直視し、力強く生きよう

ニヒリズムを提唱した19世紀後半のドイツの偉大な哲学者・ニーチェ[1]（Friedrich Wilhelm Nietzsche, 1844-1900）は、人間は自らの本質を問い直し、厳しく辛い現実を直視し、それを認識した上で力強く生きなければならないと主張した。

本来、人間が有している、より強大になろうと闘う意志、競争に打ち勝とうとする意志、つまり「権力への意志」は、現代社会において、全く生命力のない状態と化してしまっている。大衆社会では、人間一人ひとりが持つ「権力への意志」は実に平均化されてしまい、それぞれの人間は、自分の人生における目標さえも見失ってしまっている。

ニーチェは、このような時代の現象を「ニヒリズム」と呼び、そうした時代に突入した原因を解明し、それを指摘することに努めた。

彼は、ニヒリズムの最大の原因は、キリスト教道徳にあると述べた。キリスト教の教

えが、力強く生きようとする人々の足を引っ張り、人々を平均化させてしまっていると
いうのだ。キリスト教は、「謙虚になりなさい」「隣人を愛しなさい」「敵を愛しなさい」
と人々に説く。言うなれば、これは弱者の道徳観念であり、強く生きようとする人々の
意志をいつの間にか拘束し、人々の生き方を平均化してしまう原因を作ってしまうのだ。
そうした状況を嘆き悲しんだニーチェは、「神は死んだ！」と唱え、キリスト教が支
配する奴隷道徳から人々が解放されることを望んだ。そして、キリスト教道徳に代わる
新しい価値観を、自分の力で作り出さなければならないと、強く訴えたのであった。
「神は死んだ！」だから我々人間は、神ではない、何らかの生きる支えを見出さなけれ
ばならない。すなわち、「権力への意志」を持ち、獅子の精神と小児の想像力を持って
たくましく生きる「超人」にならなければならない、と唱えたのだ。
我々の理想とする超人とは、神のように彼岸《ひがん》にあるのではない。現実を現実のものと
して肯定し、自らの生命を充実させることに全力投球する、力溢れる自己を生き抜く自
由人なのである。「すべての神は死んだ。今や我々は超人が生きることを欲す」と彼は
唱えた。
現在、世間ではありとあらゆる価値観が崩れ去りつつある。まさに、ニヒリズムの時
代である。ニーチェが言いたかったのは、「我々人間は、ニヒリズムを直視し、ニヒリ

ズムに徹底しなければならない。そして、現実社会において徹底して能動的に生きることによって、ニヒリズムを克服することが可能となる」ということである。

（1）ドイツのザクセン州で牧師の子として生まれる。ニーチェは、ボンとライプチヒの大学で神学と哲学を修め、１８６９年、スイスのバーゼル大学教授（古典文献学）に就任する。しかし、健康を害し35歳で大学を辞める。ニーチェは、持病と闘いながら、厳しく孤独な生活の下で深い思索を重ね、著書を著し続けた。45歳になると発狂、その後は母と妹に看病されて毎日を過ごした。ニーチェは結局、１９００年の死まで廃人同然の生活を送ることになるが、彼の理論は、20世紀の西洋社会の精神に多大な影響を及ぼした。主著は、『悲劇の誕生』『人間的な、あまりにも人間的な』『権力への意志』『ツァラトゥストラはかく語りき』『善悪の彼岸』など。

サルトル

――今、この時の自分がすべて

フランスの文学者・哲学者・サルトル[1]（Jean-Paul Sartre, 1905–1980）は、「実存は本質に先立つ」と唱え、人間の存在の在り方は、「もの」の存在の在り方とは根本的に異なると主張した。

「もの」はただ単に目の前にあるだけである。しかし人間は、常に自ら成るものであり、「自分で自分を作る存在である」とサルトルは説き、「もの」の在り方は単なる「存在」だが、人間の在り方は「実存」であると主張したのだ。

例えば、「机」は最初からその本質が決まっている。時間が経過しても、机が自ら考え、自己啓発をし、成長していくことはあり得ない。ところが、人間の場合は違う。すべての人間は、自己の責任で考え、悩み、自分の生き方を選択していくというプロセスを踏む。

つまり人間は、最初から「この人はこんな人だ！」と定められているのではなく、あされる程度の期間、本人がどのような生き方をしたのかによって、その「人物像」が描き出されるのである。

一般に、「わかりやすいようで、実はわかりにくい」と言われるサルトルの実存主義だが、簡単に言えば、「今、ここに生きているという事実がすべてであり、明日は明日生きている自分がすべてである」ということだ。

したがって、サルトル哲学において真に大切なのは、「今現在、いかに生きるべきか」という問題であり、今現在の生き方が「今の自分」を作り、明日いかに生きるかということが「明日の自分」を作るのである。

誰にとっても、「この一瞬一瞬をいかに生きるべきか」という問題は、頭を悩ませ、試行錯誤する原因となる。人間は、より善く生きようとすればするほど、「一体どう考え、どう行動したらいいのか」と悩むことになる。そもそも、生きることは悩むことであり、悩むその理由は、「今の自分を高めたい」という向上心に依拠している。

そうであるならば、「悩む」行為を恐れたり嫌悪する必要性は全くないのではないだろうか。今日は今日の自分、明日は明日の自分が「すべて」なのだから、我々はトコトン悩み、考え、エネルギッシュに人生を謳歌することに全力投球すればよいのである。くだらない理屈や抽象論を述べても、あまり意味はない。大切なことは、「とにかく自分で自分自身を作る」ということである。

（1）フランスのパリで生まれる。無神論的実存主義の代表的な思想家。1924年、高等師範学校に入学。1929年には教授資格を取得する。1931年から1945年まで、高等中学校の哲学教授を務める。第二次世界大戦では、抵抗運動に参加する。戦争が終わると、実存主義を唱え、雑誌『現代』を主宰する。後に、共産主義思想に傾向し、晩年は連帯の倫理を唱える。1964年、ノーベル賞を辞退し、話題を呼ぶ。主著は、『実存主義はヒューマニズムである』『嘔吐』『自由への道』『存在と無』『弁証法的理性批判』など。
『第二の性』『招かれた女』などで女性の生き方について独自の追求を試みたフランスの女流作家・ボーヴォワール（Simone de Beauvoir, 1908-1986）は、サルトルの哲学を熱く支持し、私生活の面でも実に深い親交を結んでいたことは、広く知られている。

第3章

東洋の哲学・思想を人生に生かす

ウパニシャッド哲学
――東洋の哲学の始まり

インド亜大陸のインダス川を中心に文明が起こったのは紀元前２３００年頃。インダス文明をになった民族はいまだ明らかではないが、紀元前１８００年頃になると急速に衰え、その約３００年後、アーリア人が中央アジアからインドに入り定住した。牧畜と農耕を行う民族であった彼らは牛を神聖視し、その風習は現在でもインドに残っている。

アーリア人は自然現象に神性を感じ、雷や太陽を神として供物や賛歌を捧げた。そうした神々に対する賛歌や祭祀《さいし》儀礼を記述したものを『ヴェーダ』[1]（Veda）といい、古代インドにおける最古の聖典となった。

紀元前１０００年頃から鉄の農具や武器を使い始めたアーリア人は、東方のガンジス川流域へも進出。農業生産の高まりで豊かになるとともに、都市や王国が作られるようになった。社会が発展すると、人々の間に必然的に階級が生まれる。それらはやがて固定化され、①バラモン（司祭者・最高位の身分）、②クシャトリア（武士・貴族）、③ヴァイシャ（庶民）、④シュードラ（奴隷）という明確な四つの身分階級、いわゆるカースト制度ができた。

司祭であるバラモンがつかさどる、ヴェーダに基づく宗教をバラモン教という。バラモンは自分たちの権威を高めるため儀式を複雑化し、この宗教はやがて形式主義に陥ってしまった。バラモン教には特定の教祖は存在しないが、この時代においては、その権威と地位は政治よりも優越していた。

しかし、インドの経済が繁栄し、社会の様相が変化し始めると、クシャトリアとヴァイシャが勢力を伸ばしてくる。バラモンとしては、支配階級に属する自分たちの地位を維持するためにも、より深い思想を展開する必要に迫られた。そんな背景から、紀元前6世紀頃、儀式中心だったバラモン教が生み出した「ウパニシャッド」（Upanisad／「奥義書」）には、内面的な思索を重視する哲学思想が語られていた。

ウパニシャッドとは、サンスクリット語で「秘密の教え」を意味し、いわゆる「輪廻」と「解脱」を中心とする思想である。「輪廻」とは、善悪の「業」（カルマ）によって現世と来世が決定され、因果応報によってほとんど脱出することのできない苦しみが循環するという「運命論」を唱えた。バラモンのみが、神秘的な知恵や儀式によって、そうした輪廻から脱出することができる、とされている。輪廻から脱出した境地、すなわち「解脱」は、宇宙の本体であるブラフマン（梵）と個人の本体であるアートマン（我）とが一体化した境地（梵我一如）であると説かれている。

古代インド社会の人々にとって、輪廻と業の思想は実に恐ろしいものであった。したがって、輪廻の束縛から脱出して自由になることは、理想的な境地と考えられていた。「人間の幸福は解脱できるかどうかにかかっている」――これが古代インドの哲学の始まりであった。

（1）ヴェーダはサンスクリット語で「知識」を意味する。ヴェーダの起源は、紀元前15世紀頃、アーリア人がインドの西北地域に侵入して以降、およそ1000年をかけて成立した。古い順番に、リグ、サーマ、ヤジュル、アタルヴァの四部構成になっている。

ゴータマ・シッダールタ
――「苦しみ」をなくす方法は必ずある

古代インド社会、王侯や武士階級（クシャトリア）や商工業を営む者たち（ヴァイシャ）の社会的勢力が強くなり、最高位の身分であるバラモンが従来の権威と地位を維持することが、次第に難しくなっていったことは前に述べた。

例えば、紀元前7世紀頃、ガンジス川の北部に勢力を持つコーサラ国や、南部に勢力を持つマガダ国が、新しい都市国家として名を馳せてくると、バラモンのみが解脱を独占することに疑問を投げかける気運が高まってきた。『ヴェーダ』とウパニシャッドの秘儀を介することなく、輪廻の苦しみから脱しようとする動きが出てきたのだ。そうした時代背景の下、新しい価値観と境地を生み出したのが仏教やジャイナ教[1]であった。

ジャイナ教はクシャトリアに属するヴァルダマーナ（Vardhamana）によって開かれた。バラモンの権威を否定し、人間は苦行によってのみ救われると説き、不殺生の徹底など、厳しい戒律を定めていた。

一方、仏教の開祖は、ゴータマ・シッダールタ[2]（Gautama Siddhārtha, 563?-483 B.C.）。シッダールタは、紀元前5世紀、ヒマラヤに近いシャーキャ族の小さな王国・カピラヴァストの王子として生まれた。

幼少の頃から人間の生き方に疑問を持っていた彼は、恵まれた日常を過ごしながらも、人生の根源にある「苦」の本質の追究と、苦からの解脱を目指し、29歳で出家。その後、激烈な修行を重ねた結果、バラモンが教える苦行の道は、解脱するための絶対的な方法ではないことに身をもって気が付いた。そこで、彼はブッダガヤの菩提樹の下に座って瞑想を試み、ついに悟りを開き「ブッダ」（Buddha／仏陀、悟りに達した人）となったのだ。35歳の時である。

ブッダが悟った「真理」（dharma）とは、どんなものであったのだろうか。

それは、人間を超越した普遍的な真理であり、彼自身がこの世に生を受けようと受けまいと、何ら変わりなく存在するものである。真理を悟ったブッダは、まず「中道」「八正道」「四諦」を説いた。これらは、現在の仏教の根本を成す教えである。

中道とは、「苦行」と「快楽」という両極端の生き方を捨て去る修行の道である。決して真理に到達することのない苦しい修行を否定すると同時に、快楽を求めて生きるという堕落の人生を回避し、「真理を認識して、その範疇《はんちゅう》に生きる」という道である。

八正道は、中道をいかにして具体的に実践するかという考え方である。①「正見《しょうけん》」（正しい見解）、②「正思」（正しい思惟）、③「正語」（正しい言葉）、④「正業」（正しい行為）、⑤「正命《しょうみょう》」（正しい生活）、⑥「正精進」（正しい努力）、⑦「正念」（正しい想念・心の落ち着き）、⑧「正定」（正しい瞑想）の八つを指し、これらの八正道を実践すると、悟りを開くことができるとされた。

さらにブッダは、悟りのためには、①「苦諦《くたい》」、②「集諦《じったい》」、③「滅諦《めったい》」、④「道諦《どうたい》」の四つの真理を認識しなければならないと唱えた。これが四諦である。

第一の「苦諦」は、生きること、老いること、病気になること、死ぬことすべては苦であり、「人間の人生は苦である」という意味だ。今も昔も共通して言えることだが、人生経験が浅く、思慮深くない人は「人生は簡単なもの」（Life is easy.）と考える傾向がある。

実際、若いうちにビジネスで大成功を収めてしまうと、「自分の人生だけでなく他人の人生をもイージーに見てしまう」という大きな落とし穴に陥ることがある。「生きることは決して簡単ではない」という理屈は、実際に大きな失敗をしないと理解しにくいものだが、ブッダのこの考え方は、21世紀を生きる現代人にも価値のある教訓となるものに違いない。

第二の「集諦」は、人間の苦の原因は「欲望」であるということだ。仏教では「煩悩」と表現する。

第三の「滅諦」は、苦の原因がわかれば、それをなくすことによって苦からの救済が可能になるという教えである。人間の欲望の原因を突きとめ、「涅槃《ねはん》」（すべての煩悩が消された安らぎの境地）を実現することが、理想の境地であるという考え方である。

すなわち、すべての人間は、煩悩があるために苦が生じている。逆に言えば、世俗的な煩悩を持たなければ、苦しむこともなくなるわけだ。仏教徒でなくても、「煩悩を捨てると楽になる」ということはよく耳にする。確かに、考えてみると納得できる理屈だ。人間は、世俗的な欲望、すなわち煩悩を実現しようとすればするほど、生きるのが苦しくなるのだ。

第四の「道諦」は、「苦を滅ぼす道は明らかに存在する。その道は八正道に他ならない」という意味である。

人生は決して楽ではない。しかし「苦しみ」をなくす方法は確実にあるというブッダの考えは、苦境に置かれている人間にとって、とても心強いものである。実際に、何か大きな苦しみを強いられている人には、そんな言葉は単なる気休めにしかならないだろう。しかし、「この苦しみを解決する方法はきっとある」と思い込み、改めて問題に対してみれば、新しいアイデアがふと湧《わ》き上がってくるかもしれない。

（1）ジャイナ（教）は、サンスクリット語の「jina」（勝者、修行を完成した人）という言葉に由来するものであり、マハーヴィーラ（本名はヴァルダマーナ）が開祖である。仏典では、ゴータマ・シッダールタと同時代の代表的な自由思想家（六師外道）の一人である。
ジャイナ教はいわゆる無神論の立場を唱えている。宇宙の構成要素を霊魂と非霊魂に分け、さらに非霊魂を四つに分ける。輪廻を解脱するためには、「殺すな」「嘘をつくな」「盗むな」「みだらなことをするな」「所持するな」という五つの戒めを遵守し、極めて厳格な禁欲的道徳生活をすることによって解脱できると説く。
（2）シッダールタは、裕福な王族の王子として生まれたが、生後7日で母を亡くしている。学問や技芸に優れた才能を発揮し、17歳で結婚。何不自由のない生活を送っていたが、29歳の時に王子の地位と妻子を捨てて出家し、真理の追究のために厳しい沙門《しゃもん》の道に入ったと伝えられている。

孔子
――自分にも他人にも誠実に生きるためのシンプルなヒント

古代中国では、紀元前１６００年頃、黄河の中流域付近に殷王朝が現れ、その後、紀元前１１００年頃になると周王朝が支配するようになった。周王朝時代の後半、春秋戦国時代には多くの思想家が登場したが、中でも最も偉大な思想家とされるのが孔子[1]（紀元前５５１―４７９頃）である。

孔子の代表的な思想は、いわゆる「仁」である。仁は、「人」に「二」を加えた字だが、人と人が支え合うこと、「人間はいかに他人と協調していくべきか」を説いた思想である。

まず、仁の道が一体どのようなものであるか考えてみたい。孔子の弟子であった曽子によると、仁が目指す境地は「忠恕《ちゅうじょ》」であると伝えられている。「忠」は、自分に嘘をつかないこと、自分に誠実であることを基本とする教えである。

例えば、現代のビジネスマンは、競争が激化する経済社会で生き残るために、本当の自分を覆い隠し、要領よく世渡りをしようとすることが多い。自分の生活、家族の生活を維持していくためには、世の中の流れや風潮に合わせ、職場でも、その雰囲気に合うように自分自身を変えていくことが、時には必要となる。

しかし、目先の利益ばかりにとらわれていると、本当の自分を忘れ去り、いわゆる「自分らしさ」を大切にする生き方を見失ってしまう。人間は、真面目に仕事に取り組み、それなりの生活費を確保しなければ生きていけないが、あまりにもそればかりに夢中になってしまうと、この世に誕生した意味を成すことができない。だから、常識の範囲内で「自分の味」を出し、自分らしく人生を謳歌することが肝要である。

忠恕を構成するもう一つの教え「恕」は、他人が置かれている状況・立場を誠心誠意に理解する心であり、言うなれば「思いやり」である。

人間は皆、それぞれの立場や都合というものがある。したがって、他人とつきあう際には、自分だけではなく相手の立場や都合を理解し、察するスタンスが必要だ。そうした姿勢がなければ、同じ社会で、異なる人間同士が仲良く暮らしていくことは不可能である。

孔子は、「仁」とともに「礼」の教えを力強く説いた。「礼」は、「人間のモラルを実践する」という意味である。いかなる人間も、自分を巧みに抑制する努力をしない限り、自らの欲望のままに行動してしまうネガティブな側面を持っている。それでは人間らしく生きることができなくなり、むしろ、野生の動物のような生き方となってしまう。

したがって、人間は「仁」の考え方を心に持ち、「礼」を実践することが重要であるというのが、孔子の教えの基本である。これを図にすると、以下のようになる。

「仁」
↘「忠」「恕」→「仁」を心の内側から表現したもの
↙「礼」→「仁」を具体化し、人間のモラルに従って実践すること

聖人と称され、日本でもよく知られた思想家である孔子だが、その教えはいたってシンプルなものである。それだけに実践するのが難しいとも言える。しかし、人間関係が複雑になっている今日、そんな明快な教訓を心掛けることで、我々は自分にも他人にも誠実に生きることができるはずである。

（1）孔子は魯の国の曲阜（現在の山東省）に生まれた。幼少の頃に父母を失くし、貧し

い生活を余儀なくされるが、彼は自分に厳しく生きようと努力し、学問で身を立てるため勉学に励んだ。魯に伝わる周の伝統的文化を敬愛し、ひたすらそれを学んだ。

学問を修め、最終的には魯の大司寇（現在の最高裁判所の裁判官のような職位）に就いたが、54歳の時に国を出る。権力争いが絶えない戦国時代において、孔子は諸国を訪問し、君主たちに徳治《とくち》主義による理想的な政治を説き続けたが、彼の説法を受け入れる君主はいなかった。70歳になると、孔子は再び魯の国に戻り、弟子の教育に励む日々を送った。世界的に有名な『論語』は、孔子の弟子たちが集成したものである。

孟子、荀子

――性善説で自分を励まし、性悪説で自分を戒める

人間という存在、人間がこの世に誕生し、毎日生活している有り様《あさま》をどのように捉えるのかは、哲学の大きなテーマである。そして、それは大きく分けて二つに分類することができる。

一つ目は、「人間は素晴らしい生き物であり、自分だけではなく、他人、そしてあらゆる存在物に対して隔たりなく愛することができる」という考え方である。この場合、人間の存在はいわば「自然の恵みがもたらした素晴らしい所産《しょさん》」と解釈することができ、すべての人間が、互いの存在を祝福できるということになる。

二つ目は、「人間は常に自分の利益しか考えておらず、隙《すき》さえあれば自分にとって有益なものを他者から奪おうと考えている」という考え方だ。我々は毎日、他人に対して礼儀をつくし、笑顔でコミュニケーションを図ってはいるが、それは「自分の立場を守

る」という目的、下心があって行なわれているということである。

古代中国では、このような人間存在の問いに対して、歴史的に極めて意義のある深い思索がなされた。

前者の「人間の存在は素晴らしいもの」という捉え方の代表的な思想に、孟子（紀元前３７２—２８９）の「性善説」がある。孟子は、儒教（儒学）の祖であり、仁と礼の重要性を主張した孔子の思想を受け継ぎ、それを発展させた人物として知られている。

この性善説は、孟子の人間に対する楽観的なまでの信頼を基礎としている。人間は生まれながらに「仁義礼智」を持っていて、それは「四端の情」として心に表れる（四端説）。四端とは、①「惻隠《そくいん》の心」、②「羞悪《しゅうお》の心」、③「辞譲《じじょう》の心」、④「是非の心」のことである。

人間は皆、他人の悲しみを見過ごせないという同情心を持っている。例えば、目の前で幼児が川に落ちたら、誰もが即座に助けようと思うだろう。そのまま見過ごすことができない習性を、人間が持っているからだ。これが「惻隠の心」であり「仁」の芽生えとなるものである。

また、人には自分が犯した悪や不正を恥じ、それを憎む気持ちもある。それを「羞悪の心」と呼び、そう思い悩むことが「義」の芽生えとなる。

さらに、我々は自分一人だけで生きることはできず、それ故に、お互いに「譲り合う気持ち」を大切にしようとする。そうした気持ちが「辞譲の心」であり、これが「礼」の芽生えとなる。

そして、社会に存在するいかなる人間にも、善いものは善いとし、悪いものは悪いとする確固たる意志が備わっている。これを「是非の心」と呼び、この心が「智」への芽生えとなる。

孟子はこれらの「四端」を大切にすることで、孔子の説いた「四徳」（仁、義、礼、智）を実現することが可能であるとし、人間に備わっているこれらの習性・感情を理由に、本来「人が生きることは善である」と強調したのであった。

さて、孟子にはその存在を「善」と考えられた人間だが、個々の人間が備えた特性は、時に人間関係を歪ませる。身勝手な理由で他人を傷つけることもあれば、無意識に周囲に迷惑をかけることもある。また、人間は他の動植物を食べることによって生きているし、現在の地球環境を考えても、美しい自然に対して人間が働いている「悪行」は、数限りなく挙げられる。

地球上のあらゆる場所で無数の人々が躊躇《ちゅうちょ》なく車を運転し、排気ガスを出す。新しい道路、都市、新興住宅地は容赦なく建設され、数え切れないほどの工場からは、実に有害な廃棄物が大量に捨てられている。人間は、他の動物だけでなく、地球上の自然さえ滅ぼす原因を作っている。その存在自体が「悪」であるとも言えるだろう。

孟子の後に登場した荀子《じゅんし》（紀元前298？―238以降）は、まったく正反対ともいえる「性悪説」を説いた。

すなわち、人間は本来、私利私欲に走りやすい性分を持つ動物である。そうした性分が個々の人間を悪の方向へと導き、時の権力者が武力で世の中を制するという風潮が続く。そうした私欲で生きようとする性質を改めるためには、古典を学び、礼をもって矯正されなければならない。そうすれば、仁を実現させることも可能であると説いた。

荀子の説は、いわば「努力主義」である。この世に生を受けてからの生き方次第、努力次第では、「悪の性」を持った人間でも聖人になれるという考え方だ。

荀子は、「人間の性は悪」と説きながら、仁の実現を最終的な目標としている。そうした理由から、荀子も、孔子の儒教の精神を引き継ぐ思想家であったと考えられる。現実を直視する荀子の考え方は、理想論を建前とした当時の儒教では異端とされる傾向が強かった。しかし、現状を変える努力の重要性を説いたその思想は、今の時代にこそ必要なものである。

人間が生きるその姿を「性善説」と考えるか、それとも「性悪説」と考えるかは個人の自由だろう。結局のところ、双方とも人間や社会をより善くしようとする思いがスタート地点である。「善」と捉えても「悪」と捉えても大した違いはない。

ただ単に机上の空論に陶酔し、現実に起こっている様々《さまざま》な社会問題を反省することなく、「あーでもない、こーでもない」と理屈ばかり説いているのは有意義ではない。本当に大切なのは、現実を偏見なく捉え、そこにある事実を冷静に認識した上で、本来あるべき姿や理想とすべき生き方を模索し、具体的な行動に移していくことである。そのためには、今こそ、自らが真摯な態度で思索することが求められるのだ。

時には性善説をより所《どころ》に自分を励まし、時には性悪説の立場で自分を戒めながら、「より善く生きる自分」へ向上させていこうではないか。

行基、最澄、空海

――名誉や利益のためでなく、善く生きるために学ぶ

６４５年、我が国は大化の改新によって、律令制度を基盤とする新しい中央集権国家を形成した。律令国家の下では、氏族が所有していた私有民と土地が中央政府の管理下に置かれ、一般の民衆は、公民として国家に把握されるようになった。

このような律令国家では、為政者が公民階級の生活の安定を果たさねばならないが、実際には、国家の安泰を名目に、公民の幸福が踏みにじられることが多かった。

そうした中、公民の救済を念じて登場したのが仏教の僧・行基《ぎょうき》[1]（６６８―７４９）である。行基は、15歳で出家して仏の道に専念し、官寺を離れ、自分の故郷で民衆の生活の安泰と幸福を願い、数々の説法を行った。その説法は、もっぱら因果応報説を中心とするものであったと伝えられている。

行基は説法の他にも、信者の協力を得て水田を開いたり、川に橋をかけるといった偉

業を数々行っている。また、布施屋《ふせや》と呼ばれる、公民たちの調・庸（税として納める絹、布、糸など）を運搬する人々のための宿泊所も建設した。行基は宗教的立場から、多くの民衆を救済しようと努めたのだが、朝廷はこうした行為を「公民たちをたぶらかすもの」と見なした。しかし、後に朝廷は行基と和解し、大仏造営の勧進《かんじん》として抜擢《ばってき》し、大僧正位を授けるに至った。

平安時代になると、最澄と空海が登場し、当時の仏教界に大きな影響を及ぼした。最澄（７６７—８２２）は、平安時代初期の我が国における天台宗の開祖として有名である。近江国（現在の滋賀県）に生まれ、出家して東大寺で受戒した。しかし、彼は奈良仏教の教えに満足することができず、７８５年（延暦４年）、比叡山に入って修行。多くの経論を学ぶうちに、天台教学の優れたことを知る。

修行中、最澄は世の無常を見つめ、自らの未熟さを恥じ、仏道修行のための五つの誓願を立て、それが成就するまでは山を下りないと決めた。これは後に「十二年籠山」として僧たちの修行の規則となり、現在も残っている。

８０４年（延暦23年）に唐（中国）に渡り、翌年に帰国後、法華経を最高の教えとする天台こそが、仏教の根本原理を実現する唯一の方法であると説いた。この教えには、信仰は社会的な身分を超越したものであるという、平等思想が存在していた。後に、比叡山に延暦寺を建設し、奈良仏教で行われていたような政治と仏教の直接的な関わり合いを避けようとしたが、そこには仏法によって国を護《まも》るという国家仏教の理念があった。

一方、空海（774―835）は讃岐国（現在の香川県）に生まれ、当初は儒学を学んだ。ある時、一人の修行者と出会ったのをきっかけに、聖地を巡り歩いて修行を積んだ後に出家。24歳の時に著した『三教指帰《さんごうしいき》』では、儒教、道教、仏教の優劣を論じ、大乗仏教を最も優れた教えであるとした。

804年、最澄とともに唐へ渡った空海は、帰国すると高野山（現在の和歌山県）に金剛峯寺《こんごうぶじ》を建て、後に京都の東寺を賜って、真言宗の普及に努めた。

彼が晩年に著した『十住心論《じゅうじゅうしんろん》』は、当時の東洋思想におけるすべての説教の批判であり、また、それらの説法をいかに生かすべきかを説いた、実に意義深い著作として知られている。

空海は、すべての人間は生まれたままの身で、仏と同じ境地を開けるとした「即身成仏《そくしんじょうぶつ》」を肯定する立場から、徹底した平等思想を説いた。だが、そうした思想は、現世の肯定として捉えられ、朝廷や貴族との結びつきを強めることになった。

空海は、『遍照発揮性霊集』の中で、「古《いにしえ》の人は道のために道を求む。今の人は名利《みょうり》のために求む。名のためにこれを求むるは求道の志にはあらず」と述べている。これは、

「昔の人は『人生、いかに生きるべきか』という道を知るために学んだが、今の人は、名誉欲や利益追求のために学んでいる。そのような目的だけのために学ぶのは、本当の学びの道とは言えない」ということだ。

現在、大学や短大、大学院への進学率がかなり増えている。「学ぶ」ことは人生において非常に大切なことであるが、若者たちが何かを学ぼうとするその理由は、一体どこから来るのであろうか。

ほとんどの場合は、恐らく就職のためである。就職しないことには自分の力で生活できないので、誰一人として、それが悪いとは考えないだろう。しかし、それだけのために数年間を費やすのであれば、その学びの期間は、実に無味乾燥なお粗末なものとなるだろう。在学中の数年間は、まだ人生経験の浅い自分を大いに哲学することを試み、「より善い生き方を追及する」姿勢を持つべきである。そうすることで、より価値のある学生生活を謳歌することができるというものだ。

（1）行基は、河内国の大鳥郡に生まれた。父は朝鮮半島から渡って来た渡来人で、百済《くだら》出身である。父は裕福な豪族であったが、行基は早くから仏道に専心した。

栄西、道元

――「無常観」の深みを理解し、不安定な時代を力強く生きよう

この世のありとあらゆるものは、生まれ、変化し、消滅してゆく。こうした生滅変化は「諸行無常」と呼ばれ、仏教・禅宗の基本認識として、古くから日本人に愛されてきた精神の一つである。

禅は、禅那《ぜんな》・禅定《ぜんじょう》の略であり、いわゆる「静慮《せいりょ》」の意である。古くは、６世紀初頭にインドの菩提達磨《ぼだいだるま》が中国に来て以来、釈迦が菩提樹の下で開いた悟りを、坐禅によって行おうとする新しい宗派が起こり、それが禅宗と呼ばれるようになった。

日本では、宋（中国）から帰った天台の僧・栄西（１１４１―１２１５）によって禅宗が始められた。栄西は、比叡山で天台密教を学んだ後、二度ほど宋に渡り、１１９１年に臨済禅を伝えた[1]。そして、その後、同じように宋に渡った栄西の弟子・道元（１２００―１２５３）が、厳しい禅の修業を経験して帰国し、曹洞宗を起こした[2]。

禅宗における無常観を簡単に述べるなら、「この世には完全無欠、あるいは絶対不変なものはない」ということである。

例えば、我々の身体の中では短時間のうちに多くの細胞が滅び、一方では、多くの新しい細胞が生まれ新陳代謝を繰り返している。その人間の身体も、時が来れば必ず死に至る。人間が人間である以上、永遠に生き続けられる人はいない。これは、他の動物はもちろんのこと、机や時計、車、パソコン、住宅、都市、そして地球上の自然も、決して永遠に存在するものではない。

こうした限りある世界を認識すると、「人間は必ず死んでしまうのだ。何事にも終わりがあり、確かなものが何もないなら、人生なんて意味がない、面白くない」と考えてしまうかもしれない。しかし、それではあまりにもロマンのない、お粗末な捉え方だ。『平家物語』『方丈記』『徒然草』『奥の細道』など数々の古典文学には、無常観についての優れた文章が綴られているが、現代社会に生きる我々は、この無常観をどのように捉えることができるのであろうか。

21世紀を迎えた今、日本はいまだに景気低迷が続き、完全失業率の増加も収まる気配もなく、実に先行き不透明な時代に直面している。会社で一生懸命に働いても、「いつリストラされるかわからない」という危機感から逃れられない人は多いだろう。しかし、このような時代であるからこそ、人々は自ら何らかの「強い意識」を養うべきである。「この世に完全なものは存在しない」という世界観は、見方を変えれば、人生を生きる上で、これ以上の「最高の土俵」はないと考えられる。不確実な時代では、自分しか頼りにならないと言われるが、それは「自分の力を頼りにできる」ことでもある。

以前は、個人の力ではどうにも太刀打ちできない組織の壁など、完全無欠な存在があった。しかし、今ならそうしたものに邪魔されることなく、パワフルに前向きに自分の実力を発揮することができるのだ。何かに頼りながら生きる不安定な状態から、すべてを自らの手に握っている状態になったのである。

毎日会社で一生懸命に働き、自分のため、家族のために一定の給料を稼いでいたとしても、それがいつまで続くかは誰にもわからない。アメリカでも日本でも、大企業の経営破綻はもはや特別なことではなく、これまで優良企業と言われ続けた会社でも、いつ何時非常事態が起きるか予想がつかない。

そうした不透明な経済社会を生き抜くにあたり、「無常観」の深みを十分に認識することは、必要以上に国家や企業に期待することなく、どのような現実が到来しても、それに対処できるだけの心構えをしておき、価値のある生き方をするための秘策となる。

人生をパワフルに謳歌するためには、まず世の中の現実、そして人生の「性《さが》」を知らなければならない。そうした世の中の根本を哲学することなしには、地に足の着いた状態で、自分をアップグレードすることは不可能なのだ。

（1）栄西は天台宗などの旧仏教を決して否定するものではなかったが、比叡山は禅の重視に反対する立場をとった。後に、栄西は鎌倉将軍家の援助により寿福寺（京都）や建仁寺（鎌倉）を建て、臨済宗の普及に努めた。彼の主著『興禅護国論』は、天台宗による非難を批判し、当時の日本に禅法が必要である理由を論じたものである。

（2）自己を捨て、慈悲を重んじる道元の徳風を知る、面白い逸話がある。道元が48歳の時、当時の執権北条時頼の招待を受け、関東で人々に仏道を説いた時のこと。説法の役目を終え、越前国（福井県）の永平寺に帰ると、時頼から永平寺に三千石の土地を寄付する「お墨付き」を預かってきた、弟子の玄明が嬉《うれ》しそうにそれを差し出した。道元はそれを見たとたん、「わしは財や名声のために心理を説いているわけではない」と怒り、玄明から僧衣を剥いで、永平寺から追い出したという。
　これは、道元がいかに自力による救済を追及し、代償を求めない人間愛を実践していたかがよくわかる逸話である。

富永仲基、山片蟠桃
――日本人には本来、既成概念を打ち破る力強さがある

日本における「近代」というと、往々にして「ペリー来航」をきっかけとする幕末の社会情勢の変動、あるいは明治維新前後の動向ばかりに注意を向けてしまう傾向がある。だが、西洋の影響による動向だけに目を向けていると、江戸時代、封建主義の社会から脱皮しようとする国内の動きや、権力を有しない普通の人々がどのように哲学したのかという、重要な問題を見落とすことになりかねない。

明治維新以降、我が国はフランスやドイツの法・政治思想を継受し、天皇主権国家として世界の近代国家の仲間入りを果たした。第二次世界大戦後は、アメリカの影響を強く受け、民主主義国家として「主権在民」「平和主義」「基本的人権の尊重」を新憲法の三大原則として再出発した。そうした我が国の「近代化への歩み」については、今さらここで説明するには及ばないであろう。

ここでは、そうした一連の「近代化」が行われる前の日本人が、「個人の尊厳」を追求するために、どのように哲学したのかについて考えてみたい。例えば、支配階級に属さない人々からは、どのような思想が生み出されていたのであろうか。

徳川幕府による幕藩体制が長く続いていた江戸時代中期、儒教や仏教、またそれらに基づく既存の考え方に対して、懐疑論を展開する思想家が登場し始めた。気鋭の学者が登場した背景には、時の権力構造に疑問を持つ町民たちが自ら出資して設立した私塾において、既存の概念にとらわれない幅広い教育が展開されたことがあった。そうした私塾の中で、私が特に注目するのは、大阪の町人によって創設された懐徳堂《かいとくどう》の存在である。

懐徳堂は、富永芳春《ほうしゅん》（道明寺屋吉左衛門）を始《はじ》めとする大阪の代表的な豪商５人が中心となって、1724年に大阪尻崎町１丁目（現在は、大阪市今橋４丁目）に設立された。町人たちは自分たちの知的好奇心から、三宅石庵《せきあん》や中井竹山などの学者を呼び寄せ、「人間の存在価値」について問い直し、それを幅広い見地から追求する目的で、学問や知識を深めることに努めた。当初は漢学の私塾だったが、徐々に規模を拡大、「合理主義や実証主義的な立場からの学問」を、教育の基本スタンスとした。実質的、現実的な大阪商人気質が表れた学風である。

そのため、そこで教育を受けた思想家は、それまで日本において主流とされてきた学問や宗教などを崇拝・維持するだけの域から脱し、「自由な発想で既存の学問や思想を批判・再検討する」という、極めて懐疑的な思考方法を養うことが可能となった。

当時としては極めて自由な教育が営まれたこの塾からは、現代でも高い評価を受けている富永仲基《とみながなかもと》（1715―1746）や山片蟠桃《やまがたばんとう》（1748―1821）などの学者を輩出するに至った。彼らの偉業に共通するのは、それまでの儒学や仏教における既存の考え方を批判し、「人間とは何か」「人間はどのように尊重されなければならないのか」という根本問題に、極めて自由な発想で取り組んだことである。

富永仲基は、醤油製造業・漬物商を営む、懐徳堂創立の五同志の一人、富永芳春の息子。幼少の頃から懐徳堂で陽明学、仏典、神道を学んだが、神儒仏を批判するようになる。20歳頃には家を出て、自ら塾を開き、大乗仏教を歴史的に批判する『出定後語《しゅつじょうこうご》』を著わした。

神儒仏三教を否定し、これらに代わる「誠の道」を求めた彼の説は非難されたが、本居宣長などに大きな影響を与えた。

一方、山片蟠桃は、大阪の両替商の番頭であったが、商才を発揮し、58歳になると自ら両替商を始めた。無神論者で、蘭学の影響を受けた実学思想家の蟠桃は、商いの傍ら懐徳堂で学び、晩年、失明をしながらも『夢の代《しろ》』を著わす。その中では、儒学、仏教、国学をエネルギッシュに批判し、無鬼論（無神論）を唱えた。彼は、『夢の代』の一節において、「地獄なし、極楽もなし、我もなし、ただ有るものは人と万物」と唱えた。

江戸時代というと、士農工商の身分制度のイメージが強く、誰もが幕府や藩の権力に従い、庶民の権利意識は非常に低く、「個人の権利」という意識すらなかったかのように解される場合が多い。

だが実際、江戸時代には、３０００件近くの百姓一揆が発生している。一揆の理由は、重い租税、役人の非行、物価騰貴など様々ではあったが、「生かさず殺さず」という武士による農民への苦役を強いるやり方に、農民が反発したことによるものだ。

２６０年あまりの間に、それほど多くの百姓一揆があったという事実は、当時、権力階級に属さない人々にも「権利意識」が確実に存在していたことを証明している。そして、一揆の発生率が、江戸時代中期以降、特に後期や末期において非常に高くなっていることも、農民たちの権力構造に対する反発を表象するものと言えるだろう。

もっともその頃は、農民だけではなく、多くの下級武士も経済的に苦しい生活を強いられる状況にあった。大名の中には、富商に頭を下げて金を借り、藩の政治を保っていた者もいる。

そうした行き詰まった状況を考えれば、幕末にペリーが来航して、アメリカが開国を要求しなかったとしても、徳川幕府が強いた封建制度が半永久的に継続していた道理はなく、遅かれ早かれ何らかの形で崩壊する運命にあったと考えるのが自然である。

当時、富永仲基や山片蟠桃などが熱い思いで「個人の尊重」を追及するために思索したことは、日本人が、いわゆる「幕末」よりも早い時期に、極めて近代的な「人間を尊重する思想」を生み出すことにつながった。

21世紀の今、個人の存在価値が尊重されない封建時代において、そうした思索が試みられたことを回顧すると、時代を超越して活躍した偉人たちの「理性」のパワーと神秘を強く感じる。

我々は、ステレオタイプな日本人観として、「もともと、日本人には既成概念を打ち破る力がない」という見方をすることがしばしばある。しかし、江戸時代の日本に、実に画期的な思索を試みた先人が確かに存在した。これは心強い事実である。

現代と比較しても、当時は情報も少なく、学問も未発達であった。そんな社会基盤でありながら、彼らは自由な思索により既成概念を打ち破った。現代に生きる我々は、彼らよりも多くの可能性に恵まれている。書物も豊富にあり、インターネットで世界中の情報を即座に得ることができる今、我々も「新しい発見と創造」を成し遂げるために大いに思索することが強く望まれる。

西周

――「哲学」という言葉を作ったパイオニア

理性は、まさに時代を超えてその威力を発揮し、人間に独自の存在として生きる勇気を与えてくれる。古今東西の思想家の教えや考え方を、我々は「哲学」として学んでいるが、日本においてこの「哲学」という言葉が使われ始めたのは文明開化以降、すなわち明治時代初期からである。

当時、西洋哲学の諸概念を日本へ移入する上で大きく貢献したのが、西周《にしあまね》(1)（１８２９―１８９７）であった。西は「哲学」をはじめ、「観念」「概念」「主観」「客観」「演繹」「帰納」「理性」「悟性」など、西洋哲学で基本となる諸概念を日本語に訳すことに務めた、明治初期の啓蒙思想家・哲学者である。これらの用語は、それまで哲学の概念を表現する言葉としては存在していなかった。

西は青少年期に朱子学を学ぶが、後に洋学の必要性に目覚め、１８６３年（文久３年）

から1865（慶応1年）年までオランダ最古の大学であるライデン大学に学んだ。(2)オランダから帰国すると、幕府の開成所の教授に就任し、幕府が崩壊した後は、沼津兵学校の教授として教壇に立った。その後、明治政府の要請で1870年（明治3年）に兵務省に入省。1873年には、明六社の創立に参加した。

西は西洋の学術を日本の近代化に役立てようと試み、フランスの哲学者、A・コント(3)（Auguste Comte, 1798-1857）の統一科学と歴史発達の三段階や、イギリスの哲学者、ジョン・スチュアート・ミル(4)（John Stuart Mill, 1806-1873）の帰納法などに依拠して、我が国における統一科学の形成に専心した。

先に述べたように、我が国で初めて「哲学」という言葉を用いた学者として知られる西だが、その功績は他にも挙げられる。幕末は、洋学を学ぶ者が増えた時代であるとともに、表音文字の利便性が学者たちにより唱えられた時代でもある。その代表的な人物としては、前島密《まえじまひそか》(5)（1835―1919）や柳川春三《やながわしゅんさん》(6)（1832―1870）などが挙げられるが、西周もその中の一人であった。彼らは、日本語の文章には漢字の字数があまりにも多く、それらを記憶するのに非常に時間がかかると指摘した。西は、漢字習得の負担が軽減されれば、多くの日本人が真に必要とされる知識の獲得に専心できると考えた。

イギリスの思想家、ベンサム[7]（Jeremy Bentham, 1748-1832）やジョン・スチュアート・ミルが唱える「功利主義」(utilitarianism)の影響を受けた西は、１８７４年に発表した『人世三宝説』において、「而其三宝トハ何物ナルヤト云フニ第一ニ健康、第二ニ知識、第三ニ富有ノ三ツノ者ナリ、……之ヲ貴ヒ之ヲ重ンシ之ヲ欲シ之ヲ希ヒ之ヲ求ムルヲ以テ所謂最大福祉ノ方略トスルナリ」と述べ、「健康であること」「知識があること」「富があること」を国民の福祉を追求する上での三つの宝とした。西は同著において、すべての人々の苦痛をできるだけ取り除き、できるだけ多くの人々の幸福の実現を追求しようとする、独自のセオリーを構築したのであった。

西周は、自らが学問を追究する哲学者であると同時に、後に続く者がよりよく学べるような環境作りにも貢献した。我々が今、哲学書に限らずあらゆる書物を手に取って学ぶことができるのも、西の功績に負うところが大きいと言える。

（1）西周は、石見国津和野（現在の島根県津和野）の藩医の子として生まれる。青少年期は朱子学、荻生徂徠を学んでいたが、１８５３年（嘉永6年）、ペリーの浦賀来航を機に、日本の近代化のためには洋学が必要不可欠と痛感し、脱藩を決意する。主な著書は、『百学連環』『百一新作』『知説』『人世三宝説』など。

（2）ライデン大学（Universiteit Leiden）は、創立1575年のオランダ最古の大学。ライデン（Leiden／オランダ語の発音はレイデン）は同国の西部に位置する都市で、ライン川の分流に臨む運河の町として知られている。市内には、今でもルネサンス時代の建物が数多く残っている。「自然法の父」「国際法の祖」として名を馳せたグロティウス（Hugo Grotius, 1583-1645）などの有名な学者を擁した。

（3）A・コントは、フランスの哲学者。実証主義、社会学の祖。南フランスのモンペリエに生まれ、パリ理工大学で物理学、数学、政治学などを修める。著書は『実証哲学講義』『実証政治体系』。

（4）ジョン・スチュアート・ミルは、イギリスの哲学者（功利主義者）・経済学者、ジェームズ・ミル（James Mill, 1773-1836）の長男として生まれ、幼い頃から天才教育を受ける。イギリスの経験論を受け継ぎ、帰納法を完成させた。実証主義的社会科学の理論を構築し、功利主義の社会倫理説を唱えたことで有名。16歳で功利主義者の会を作り、ベンサムが率いる哲学的急進派に仲間入りを果たす。東インド会社に入社し、1858年まで在職。1865年から1868年までは下院議員を務め、労働者や婦人の地位向上などの運動を支援した。著書は、『論理学体系』『経済学原理』『自由論』『功利主義論』『婦人の開放』など。

（5）前島密は、国字改良論者。また、我が国における近代郵便制度の創始者であり、「郵便」「切手」などの言葉を作った人物として知られている。

（6）柳川春三は、尾張藩士の子として生まれる。幕末・維新期の洋学者。幕府そして新政府に仕え、西洋の学問を日本に紹介する。「Magazine」を日本で初めて「雑誌」

と訳し、１８６７年（慶応3年）に「西洋雑誌」、翌年に「中外新聞」を創刊する。

（7）ベンサムは、イギリス、ロンドンに生まれ、オックスフォード大学に学ぶ。始めは弁護士業をしていたが、後に民主主義的な改革を唱える学者となった。１７８９年に主著『道徳および立法の諸原理序説』を発表し、「最大多数の最大幸福」の原理を唱え、「功利主義」を確立した。

内村鑑三
――どんなことにも揺るがない確固たる信念があるか？

明治・大正時代のキリスト教の代表的指導者である内村鑑三(1)（1861―1930）は、日本の宗教のみならず、思想、文学、教育、その他あらゆる方面に渡《わた》って強い影響を与えた人物である。内村は、神の下ではすべての人間が平等であり、一個の個人として尊重されると唱え、人間の内面的な強さを養うことを強く提唱した。

本来、キリスト者というものは、内面において非常に厳しく、自分にも他人にも正直に、気高い心で道徳的に生きなければならない。内村は、このような厳格な教えこそが西洋諸国が発展した原動力であり、それは日本人にとっても、価値のある教訓として教え導いてくれるものであると説いた。

彼は、日本の発展のためには、キリスト教を切り離すことはできないとし、「私は日本のために、日本は世界のために、世界はキリストのために、そしてすべては神のために（I for Japan; Japan for the World; The World for Christ; And All for God.)」という実にスケールの大きいビジョンを打ち立てた。

内村は、キリスト者として正直に生きるというポリシーの下、しばしば苦しい信仰生活を送ることになった。その一つが、いわゆる１８９１年の「不敬事件」である。

この事件は、内村が第一高等中学校の講師であった時に起きたものだ。当時行われていた教育勅語(2)の奉読式に際して、明治天皇の署名に対して礼拝をすることを拒み、講師の職を追われたのである。もちろん、彼は天皇制を否定する考えの持ち主ではなかったが、天皇の署名に礼拝することは天皇の神格化を意味し、厳格なキリスト者である彼には、到底できることではなかったのである。

内村は、教会が細かい制度を作り出すことを批判し、特定の教会、儀式などを廃した「無教会主義」を提唱した。これは、キリストの信仰者は、神のみと向き合い、正しい信仰をするために、聖書との関わり合いに重点を置くという信仰方法である。

内村のキリスト者としての熱心さや正直さは、我々に「本当に価値のある生き方とはいかなるものか」をよく教えてくれる。内村が最大限に守り通そうとしたキリスト教の信仰心は、いわば心の内に秘めた、いかなる方法でも変えることのできない「(キリスト者としての）信念」であったのであろう。

「あなたの信念は何ですか？」と聞かれて、すぐに答えられない人は多い。「私の信念は……です」と、即座に答えられる人もいるが、どんな状況に陥ろうとも守り続けようとする強固な心構えを持っている人は、少ないのではないだろうか。

　自分にとって都合がいい時にはその信念を主張し、逆に、都合が悪くなると簡単に信念を曲げてしまう。その場しのぎの生き方をする人が多いこの時代、我々は内村が持っていた確固たる信念を、多少なりとも見習うべきである。

（1）内村鑑三は、高崎藩士の長男として江戸に生まれた。キリスト教の伝道者・思想家としての、捨て身の精神ともいえるエネルギッシュな活動は、注目に値する。内村は、東京語学学校で学んだ後、新渡戸稲造（１８６２―１９３３）らとともに札幌農学校の二期生として札幌で学んだ。入信後は、米国マサチューセッツ州のアマースト大学（Amherst College）に留学。主著は、『基督信徒の慰め』『余は如何にして基督信徒となりし乎《か》』『代表的日本人』など。

（2）教育勅語は、１８９０年（明治23年）に発布された、思想と教育に関わる国家の指導原理を定めたもので、いわゆる儒教の教えを中心とした「忠」と「孝」を基盤とする、国民のモラルを定めるものだった。

中江兆民

——深く考えることで事態は好転する

明治時代の自由民権思想家・中江兆民[1]（１８４７—１９０１）は、ルソーの『社会契約論』を翻訳した『民約訳解《やくげ》』を出版し、フランスの民権思想を日本に紹介したことから、広く「東洋のルソー」と呼ばれている。

明治10年代になると、政府はしだいに国家の中央集権化を進めていったが、一方では、真の自由・平等を唱える啓蒙思想家たちが、世直しの夢を破られた人々とともに自由民権運動を展開した。兆民はフランスの急進的な民権思想の立場をとっていたため、新政府の方針に異論を唱えていた。特に、新政府がドイツ流の帝国主義的な憲法を模範に新憲法を制定する作業に取りかかると、兆民は大きく失望したのであった。

１８８７年（明治20年）、兆民は[2]『三酔人経綸《さんすいじんけいりん》問答』を発表した。彼はこの中で、民権を大きく二つに分けている。一つは、「恢復《かいふく》的民権」と呼ばれる、イギリスやフランスのように人民が自らの手で民権を勝ち取る形態、もう一つは「恩賜《おんし》的民権」という、為政者から恵み与えられた民権である。

この分類によると、日本の民権はいわゆる恩賜的民権である。それ故に兆民は、日本が取り組まなければならない課題は、まず第一に恩賜的民権を発展させ、人民の努力によってそれを恢復的民権へと変革していくことであると述べた。

兆民は、この課題をスムーズに進めるためには、目の前の利益ばかりを追求するのではなく、それぞれの人民が深く思索をするような風潮作り、すなわち、皆が哲学する世の中に変えていかなければならないと主張した。

著書『一年有半』においても、「我日本古より今に至る迄哲学無し、……哲学無き人民は、何事を為すも深遠の意無くして、浅薄を免れず」と述べ、日本には、古来から哲学がなかったという歴史性に注目し、哲学することなしには物事の道理を深く理解できないと説いている。

まさに「東洋のルソー」は、当時の人々に「深く哲学せよ。そうでなければ自らの国の進むべき道がわからない」と説いたのである。

現在の日本の国民のほとんどは「自分たちには自由・平等がある」と自覚している。しかし、自分たちの手で今の社会をより平等なものに改善し、いっそう崇高な市民社会を築こうという意識を持っている人は極めて少ない。

国の基本理念や政体が大きく変わろうとしていた明治初期は、まさに激動の時代で、当時の人々は「国の将来の行く末」がかかった問題に頭を悩ませ葛藤《かっとう》した。平成の今は、現代ならではの様々な社会問題に、我々は悩まされることになった。

例えば、「ちょっとのことでキレる子供」「駅のホームや電車の中で、スーツ姿の立派なビジネスマンが些細なことで大喧嘩」「大人が青少年から尊敬されなくなった」といった風潮は、ストレスが十分に解消されない現代人の、健全なる精神が失われつつあるという悲劇から生じるものだ。

我々は今、一個人としていかに健康的な精神状態を維持するかについて考えることが、最も重要な課題になっていると言える。心を落ち着けて、じっくりと考えてみようではないか。真剣に考えれば、答えは必ず見えてくるはずである。

（1）中江兆民は、土佐（高知県）出身の政治家・思想家。土佐藩士の息子として生を受けた。儒学や蘭学を学ぶことに専心し、24歳になると政府留学生としてフランスに渡り、哲学、史学、文学などを学んだ。帰国後は、もっぱら新聞によって専制政治を激しく批判し、急進派の自由民権運動推進者・理論的指導者として活躍した。

（２）この作品『三酔人経綸問答』は、①理想主義を唱える洋学の紳士、②問答無用の武力を行使して海外侵略を主張する豪傑君、③現実主義者の南海先生、の３人による鼎談というスタイルで書かれた。「日本はいかに近代化を図るべきか」という問題について議論した作品である。

西田幾多郎
――東洋人としての哲学

１８８２年（明治15年）、明治政府は国の基本法たる憲法を制定するために、伊藤博文（１８４１―１９０９）らをヨーロッパに派遣し、憲法調査にあたらせた。伊藤の帰国後、新憲法の草案作りが始まり、１８８９年に大日本帝国憲法が発布された。

明治政府がドイツをモデルにした影響もあり、当時の日本は学問の輸入先をドイツに求める傾向が極めて強かった。ドイツ哲学では、特にカントの研究が盛んになり、大正時代になると、「人格」「教養」「理念」などの概念について学者たちの関心が高まった。[1]

このような日本の哲学界の潮流において、西洋哲学を研究する一方、仏教の禅の境地に対する哲学的思索を試みたのが、西田幾多郎[2]（１８７０―１９４５）である。

西田は、西洋哲学に傾向するだけでなく、東洋における人間の伝統的な生き方を明確に論じた哲学者であった。彼は、著書『善の研究』において、西洋の哲学は〈精神〉↔〈物質〉、〈主観〉↕〈客観〉、〈自己〉↕〈世界〉というような、相互に対立する概念から成立しているが、日本の哲学は、「純粋経験」あるいは「直接経験」と呼ばれる「融合状態の概念」を重視するものであると主張した。そして、このような融合状態から、実に様々な事物が形成されると説いたのであった。

例えば、ビートルズの音楽が大好きな人が、名曲「イェスタデー」を聞いている時、あまりにも美しいメロディーに魅了され、すっかり聞き惚れてしまったとしよう。

この場合、曲を聞いている「自分自身」（我）と、聞かれている「曲」（物）は、「一体」であると言える。西田はこれを「物我一体」の状態であると定義し、この状態を主観・客観の区別や対立がまだ存在していない状態、いわゆる「主客未分《しゅかくみぶん》」の状態であると主張した。多くの日本人が聞き惚れた状態でとどまるのに対し、西洋人は曲に聴き惚れても、自分と曲を「我」と「物」と分けて捉えるのだ。

西田哲学では、このような「純粋経験」（聞き惚れている状態）こそが「真なる実在」であるとした。そして、純粋経験の下では、「知」（思慮・知識）、「情」（感情）、「意」（意思）もまだ分かれていない状態であると説いたのだ。

西田は、多くの哲学者や思想家を集めて「京都学派」を作ったことでも有名であるが、その京都に、彼がこよなく愛した散歩道がある。いわゆる「哲学の道」だ。

哲学の道は、東山山麓の若王子橋から銀閣寺橋まで続く、およそ２キロメートルの疏水べりの小道である。京都大学の教壇に立っていた西田が、落ち着いて思索するためにこの道を歩いたことから「哲学の道」と呼ばれるようになった。道の途中には、「人は人　吾はわれ也　とにかくに吾行く道を吾行くなり」という彼の言葉を刻んだ碑も建っている。

この道は、桜の名所としても知られており、春には、疏水に沿って見事に咲き並ぶ。春には桜、秋には紅葉というように、四季を通して楽しめるスポットだ。

哲学好きの人に限らず、考え事をする際の、お気に入りの場所を持っている人は多いだろう。日常的に哲学するためにも、そうした場所は大切にしてほしいものだ。そして、もしあなたが京都を訪れる機会があるならば、ぜひとも西田が思索に利用したこの道を歩いてもらいたい。この道を歩きながら、「自分は一体何のために生きるのか」と哲学しようではないか。

（1）人格主義や教養主義に代表される哲学者としては、阿部次郎（１８８３－１９５９）が挙げられよう。阿部は東京大学哲学科に学び、卒業後、夏目漱石に師事して文芸評論を書いた。代表作は、『三太郎の日記』『倫理学の根本問題』『美学』『人格主義』など。１９２２年、ヨーロッパに留学。１９２３年に東北大学教授に就任し、23年間美学を教える。1954年には、阿部日本文化研究所（彼の死後は東北大学文学部の付属施設となる）を設立した。

（2）西田幾多郎は石川県出身で、金沢の第四高等学校に入学するが、そこでの武断的な教育や指導に強く反発した。後に、東京大学哲学科の選科生となるが、本科生と区別される生活を送りつつ、禅寺に参禅するために鎌倉に通い続けた。後に、金沢の中学教師、第四高等学校教授となり、座禅に専心する傍ら、思索に耽った。この間に『善の研究』を執筆。

1910年（明治43年）、京都大学に迎えられ同大学の教壇に立つ一方、田辺元（1885―1962）、高坂正顕（1900―1969）、西谷啓治（1900―1990）、三木清（1897―1945）などの哲学者・思想家を集め、「京都学派」を作り上げた。他の著作は、『一般者の自覚的体系』『無の自覚的体系』『哲学論文集』など。

和辻哲郎
――個人としての自分、社会の一員としての自分

近代の西洋哲学では、個人の尊重を第一に考え、「個人の独立をいかに確立するか」という理論展開が、学界でも本流を形成していた。ところが、そうした西洋哲学の潮流を批判し、西洋と東洋の文化比較における深い研究と理解を通して、倫理学において独自の理論を展開した人物がいた。和辻哲郎《わつじてつろう》[1]（１８８９―１９６０）である。

和辻の理論は、「人間の学としての倫理学」と呼ばれ、西洋哲学の方法論を用いつつも、仏教や儒学に代表される日本と東洋の伝統文化を肯定的に説明する試みが高く評価された。

そもそも人間は、独立した個人的な存在ではない。また、社会システムに全面的に依存する機械の歯車のような存在でもない。では一体どのような存在であるのか。簡単に言えば、人と人との関係の中で生きている存在である。

人間には「個人性」と「社会性」が備わっている。「個人」と「社会」は対極にあるもので、我々は、本来対立し合う要素を抱え、双方の折り合いをつけながら生きている。和辻は、そんな人間の在り方を「間柄的存在《あいだがら》」と考え、個人的存在としての個々の人間を、社会や組織から意図的に分離させようとした西洋の近代哲学を批判した。

人間は間柄的存在であるという理論を展開させた和辻にとっての倫理は、単なる個人だけの問題でも、社会だけの問題でもない。それは、人と人との間柄を律する「理法」であり、人間の働きや行為などの動的な関係における「道理」である。和辻は、個人における「倫理」は、次の二つのプロセスを踏むことが肝要であるとした。

第一に、「社会の範疇《はんちゅう》にありながらも、その中に埋没することを否定し、自己の確かな存在を確認する」ということ。我々は、社会という大きな集合体の中で生活をしている。そして時に「食べていければそれでよい」といった、人生に対する安易な見方をすることがある。しかし、それではこの世に誕生した意味も、一個人として生きる価値もない。だから、自分の存在をもう一度強く認識し、「今、自分は個人として、この世に生き続けている」という意識を持つことが大切なのである。

第二に、「孤立的な個人としての自己を否定し、再度、社会の中に自己を合一させて、社会全体をより善いものにする」ということだ。前者のように、個人としての自分の存在を自覚できても、それが度を越して「社会とは一切関わりを持たない」という孤立状態になっては意味がない。したがって、個人としての自分を認識しつつ、もう一度、社会の中に自分を合一させ、より善い社会を作る一員となることが求められるのだ。

このように、和辻は、倫理とは極めて動的な動きであり、「行為の道理」であると捉え、個人と社会は、こうした「道理を基盤とする動的関係」において成立すると唱えたのであった。

また和辻は、風土や歴史についての研究・考察は、人間の理解や国民的な特徴を把握するのに有効であると考えた。著書『風土』でも、風土は単なる自然環境ではなく「人間の在り方」を特色づける、重要な役割を持っていると述べている。同著は、世界の風土を、東洋の「モンスーン型」、中東の「砂漠型」、ヨーロッパの「牧場型」の三つに分類し、その特徴から日本人の国民的性格の解説や、独自の日本文化論を展開した。

概して、日本の哲学者・思想家は、その思考を、西洋文明社会において構築された既成概念に、大きく影響される傾向がある。それは、幕末以降の「近代」について考える際に、その源流をどうしても西洋に求めてしまうからに相違ない。

確かに、西洋文明社会は、歴史的にも人間の精神を成長させ、個人の存在価値を見極めた経緯がある。しかし、東洋にも、いや日本にも、確かにそれは存在する。

我々は、西洋流の論理的メカニズムに、どこか毒されてはいないだろうか。何かを述べる際にも、我々はすぐに「西洋流の論じ方」を意識してしまう。しかし、それでは「猿真似の論理学」である。

自分が日本人であることを忘れ、一事が万事、西洋の既成概念を中心に思考し、論理展開しようとする者は、諸々の哲学や思想を何十年学んでも、独自性のある思索はできないだろう。猿真似《まね》は、経験次第で上手に真似ることはできるが、他を模範とするだけでは、所詮《しょせん》その域を超えられないからである。

近代日本においてエネルギッシュに思索した人物は、本章で紹介した以外にもたくさん存在する。また、その前の時代にも、独自の思索を試みた人物は大勢いる。我々は、そうした先人の偉業を知り、独自の思索をするための価値あるヒントとしたいものだ。

（1）和辻哲郎は、姫路郊外農村の仁豊野《にぶの》に、医師の次男として誕生した。一高を経て、東京大学哲学科で学ぶ。夏目漱石に大きく影響を受け、倫理学者として東洋大学、京都大学、東京大学で教授を歴任。著書は、『日本精神史研究』『原始仏教の実践哲学』『風土―人間学的考察』『人間の学としての倫理学』など多数。上巻、中巻、下巻の3巻から成る『倫理学』は12年の歳月をかけて完成させた。

第4章

価値ある生き方をするために

本当の自分は何を求めているのか？

本当の自分とは、一体どんな姿なのだろう？　今ここにいる自分は間違いなく「本当の自分」なのだから、そんな問いは愚の骨頂だと考える人もいるかもしれない。しかし、果たして本当にそうであろうか。

学生なら学校で学ぶ自分、社会人なら会社で働く自分、主婦であれば家事をしている自分がそこにあるわけだが、毎日の自分の生き方が「本当に望んでいる生き方」であるとは限らない。

例えば、毎日会社に通い、実に多忙なサラリーマン生活を送っている人が、「本当はハワイのコンドミニアムに住んで、美味しいカクテルを飲み、綺麗《きれい》なビーチでのんびりと昼寝でもしたい」という願望を持っているとしよう。

こんな夢のような望みでも、本人が真剣に考えているのであれば、「ハワイに住みたい」という願望も、本当の自分が求めている生き様の一つと解釈してよいだろう。

しかし、もっとよく考えてみると、そんなことを考えるのは、「今現在、忙しく働いているから、ただただのんびりしたい」という計画性も信念もない思いつきかもしれない。そうなると、これを本当の自分が望むことと考えるのは、いささか滑稽だと言わざるを得ない。

仮に、ビジネスに野心のある人が、成功してこのような夢を実現することができたとしよう。はじめはその優雅さを満喫するかもしれないが、のんびりした生活が続くと、彼は次第に飽き飽きし、「やり手が集まる世界経済の中心で、ビジネスマンとしての自分の力量を試したい」という願望に掻《か》き立てられるに違いない。

つまり、人間は、今現在、目の前にないものを単純に求めてしまう傾向があるということだ。だから、努力の甲斐あって夢に見た願望を実現しても、また目の前にないものを新たに求めるという「逃避行」を繰り返す。

「隣の芝生は青い」とよく言われるように、人間は、自分の目の前にあるものが当たり前になると、その存在について感謝する気持ちを忘れてしまう。そして、他のものばかりを見ようとするのだ。

それ自体は、決して悪いことではない。次々に願望を実現していくことで、自らを向上させることもできるだろう。ただ、その一時の思いつきを、自分の本当の願いだと錯覚してしまわないことだ。

では、本当の自分が求めることを、我々はどうしたら知ることができるのか。一番の近道は、精神を落ち着け、心の奥底に潜むもう一人の自分に尋ねてみることである。

自分自身に尋ねる時、いわゆる「固定観念」や「しがらみ」は極力忘れるようにする。より良い方法としては、まず、①思索するための環境と心構えをセットする。それは静かな公園でも庭園、お寺、神社、あるいはホテルのラウンジやカクテルバーなどでもいいだろう。そして、②セットされた環境で、例えば「今日の私はソクラテスに成り切るぞ！」という気持ちで、自分の生き方について深く思索する。こうした二段階のプロセスを踏むとよいだろう。

心の奥底に潜む自分に問うた結果、人によっては「今の会社を辞めて、毎日、家の中でテレビでも観ながらゴロゴロしていたい」という願望が心に浮かぶこともあろう。それを本心の一つと考えてもよいが、実際には、恐らく本当の願望ではないはずだ。言ってみれば、単なる逃避である。

理性的に考える人であれば、「よりアップグレードされた自分になるために、どのように切磋琢磨するべきか」という、前向きな問題意識が浮かぶに違いない。

「怠けたい」という思いは決して究極的な願望ではない。いわば「一時的な逃避の願望」

であると考えるべきだ。人間はしばしば、「その場しのぎの願望」を自分の本当の願望だと思い込んでしまうことがある。

どんな人間にも必ず向上心があり、誰でも例外なく「今の自分よりも、明日の自分のほうがアップグレードされた人物でありたい」という願望を持つものである。だから、何か自分に問いかける際には、そうした「前向き志向な自分」を意識して、自らを奮起させることを心掛けたいものだ。

深く考えない若者の「自分は変わっている」という思い込み

一年ほど前に日本に帰った際、髪が伸びていたので美容院へ行った。私の髪を切ってくれた美容師は20代前半の女性であったが、彼女は私に気を遣ってくれたのか、髪を切っている間、色々な話をした。

私が「友達とは、どんなところへ遊びに行くのか」と聞くと、「休日には都内の公園に行って、鳥を見る趣味があるんですよ」と彼女は答えた。私は、その素敵な趣味を褒めようと思い、「実に健康的でいい趣味ですね」と言うと、彼女は即座にこう言った。

「私はちょっと変わっていますから」

私は、バード・ウオッチングが一風変わった趣味であるとは思わないが、その時に感じたのは、若者には、自分自身を「変わっている」「特別だ」と思い込んでいる人が、比較的多いということである。

私は仕事柄、若者文化を客観的に観察するために、キャンパス以外の場所でも、できるだけ多くの若者と話す機会を持つようにしている。その際にも、多くの若者が自分のことを「個性的である」「変わっている」と思っていること、またはそう思いたがっていることを、たびたび感じてきた。これは、特に日本の若者に多く見受けられる。

概して、北米やヨーロッパ諸国の若者は、自ら進んで「自分は変わっている」と他人には言わない。実際に特殊な能力や趣味を持っていても、友達と接する際には、そうした自分本位な発言をできる限り控えるというマナーを大切にする者が多い。

むろん、西洋においても自分を特別視する若者はいる。しかし、個人主義思想が成熟した国で生まれ育った彼らは、そうした意識を、自分の心の中の「極めてプライベートな問題」と考えるのだ。

実際のところ、自分で変わっていると断言する人に限って、特別な個性やカラーのない、ごく普通の人である。髪の毛の色や服装などの外見は様々でも、頭の中は実にステレオタイプな思考の持ち主である場合がほとんどなのだ。先に述べた美容師の彼女も、本人が言うほど「変わっている人」ではない。

思うに、平凡な普通の生活をしている人であればあるほど、「自分は変わっている」という思い込みをする傾向にあるのではないだろうか。若者たちがそう考えるのは、そのような「枠組み」に自分を当てはめることによって、「私は個性豊かな特別な存在だ！」

と自分に信じ込ませ、「普通の人とは違う！」「個性的に生きている！」という勝手な優越感で、自己陶酔に浸るからではないかと推察する。

だが、真に個性的に生きようとするなら、「若いうちに自分の本当の個性や能力を認識し、その能力に応じた自己啓発をする」ことが必要である。特に、若い頃の基礎学力や仕事のスキルの差異は、実に「些細な差」でしかない。したがって、各人がどのような学校で何を学ぼうと、あるいは、どのような仕事をしていようと、若者一人ひとりの能力の差は、言ってみれば「どんぐりの背競《くら》べ」なのである。

人生経験、社会経験ともに未熟であるにもかかわらず、自分を「変わっている」「特別だ」と思い込んでしまう若者は、将来、自分の個性や力量を活かして意気揚々と人生を謳歌することが困難になるケースが多い。

それ故、20代においては、まず自分の足元をきちんと見つめて、決して勝手な思い込みをすることなく、謙虚な姿勢で、少しずつでも自分を高めることに努力するべきだ。要するに、「地に足の着《つ》いた自己啓発をする」ということである。

この試みをする上では、難しい哲学の知識などはまったく必要ない。心を落ち着けて、客観的、理性的に、じっくりと自分自身について考えることこそ、「自分を哲学する」行為そのものだからである。

人生、「論理的思考」がすべてではない

論理的思考に優れた人は、一時が万事、頭の中で整然と論理を構築し、そこから自分にとって最も有益な答えを導き出そうとする。そのようなロジカルな思考方法ができる人は、確かに頭の回転が速く、課題を要領よくこなすことが多い。

だが、この世の中に存するあらゆる対象物をすべて論理的に捉え、一定の法則に従って処理するというのは、実に面白みのない思考方法でもある。そして、こうした思考方法に過度に依存している人の身には、時として、その論理性がネガティブに作用してしまう事態も起こり得る。

そもそも、すべての対象物に対して論理的に考えること自体、極めて滑稽な行為である。例えば「数学」は、常に論理的に考えなければならない学問だ。数学を「情緒的に考えよう」と試みる数学者はいないはずだ。しかし、それが「文学」という領域になると、当然ながら情緒的、感情的に捉える必要性が出てくる。なぜならば、文学はもともと

と繊細な人間の感情を扱うことを主眼とするので、作品に描写された様々な人間模様を必要以上に論理的に考えてしまうと、いかにも無味乾燥な捉え方しかできなくなってしまうからだ。

また、実際の人間関係、例えば恋人同士の間にも、極端な論理的思考は不似合いだ。「好き」とか「愛してる」という関係で成り立っている恋人同士が、お互いについて話し合う時、あまりにも論理的に行ってしまうと、その関係は極めて味気ないものになってしまう。実際、会うたびに、どちらか一方がそんな話し方をしていたら、お互いハラハラドキドキしたり、心がときめくこともなくなるだろう。恋人同士の関係では、端的でドライな論理よりも、誠心誠意の気持ちや感情を第一に考えるべきである。

それは、家族の関係についても同じことが言える。たとえ家族同士でも、それぞれの立場に応じた、分別のある発言や振る舞いをするべきである。しかし、お互いの関係を、常に論理的に考えている親子などどこにもいない。

親が子を育てるのには、論理や理屈はあまり関係ない。口先だけの理屈よりも、子供と一緒になって笑い、泣き、生身の人間としての感情に満ち溢れた時間を共有する経験が、最も大切なことである。常に論理的な思考方法で子供に話をする親など、想像するだけで身震いしてしまう。

それでは、仕事においてはどうであろうか。

ビジネスマンが、システム化された経済社会の中で一つの仕事をする以上、的確なプロセスを経て、論理的な思考方法を介して業務が行われることは、極めて重要な要件に違いない。妥当に、そして慎重に検討されたプロジェクトであれば、それが成功する確率は高いだろう。だが、一概にそうとも言えない。

実体経済は、強い者が勝ち弱い者が負けるという、弱肉強食の世界だ。百獣の王ライオンがいるかと思えば、弱々しい子猫もいる。例えば、ある企業が行うビジネスにはパワフルな競争力があり、他の類似の商品やサービスよりも優れている。普通に考えれば、そのビジネスが成功する確率は非常に高い。

しかし、論理的な分析で「十中八九は成功するであろう」と予想できる商品やサービスでも、それらがあまりにも妥当、あるいは正当過ぎて「面白くない」「ユニークさに欠ける」という判断を消費者に下されることもある。そして不運にも、そのような悲劇が引き金となり、会社のビジネスが大きく急転落することさえある。つまり、「真面目さ」が命取りとなる場合があるのだ。

概して、「商売は難しい」と言われる所以《ゆえん》は、まさにこのような理由にある。理屈だけでは通用しないこの世の中、論理的な「真面目さ」よりも、非論理的な「遊び心」のある商品やサービスに人気が集まることは実際にある。

ビジネスに限らず、他人とのつきあいにおいても同じである。すべてを論理的に考え、「間違いのない妥当なおつきあい」「失礼のないマナー」を心掛けるのは、悪いことではない。むしろ、より正しい人間関係を保とうとするなら、そのような心構えは実に奨励されるべきことだ。

しかし、あまりにもそれに気を配り過ぎると、かえって「心が通い合う人間関係」を深めることが難しくなる。論理的な思考プロセスを通して、「相手との関係を分別のあるものにしよう」と考えれば考えるほど、それがお互いの心と心を隔てる大きな「壁」となり、結局、形式ばったコミュニケーションしか図れなくなってしまうからだ。

だから、時々は「型にはまった形式」を取り払い、人間味のある裸のつきあいをすることも大切である。それが、ひいてはお互いの信頼関係を深めることにつながる。

人間社会においては、そのすべてが論理的である必要はない。より優れた生き方をするために、必要に応じて論理的になろうとするのは大切だが、時と場合によっては、そうでないほうがよいこともある。

我々には、常に「柔軟な考え方」を心掛け、「今、自分は論理的であるべきか否か」を検討する心構えが必要とされるのだ。

哲学するための読書法を身につけよう

時々、テレビや新聞などで、本を速く読む方法について紹介される。多忙な毎日を送る多くの現代人にとって、「本を速く読めること」はまさに理想である。速く読んで内容を十分に理解することができれば、限られた時間を有効に使うことも可能となる。

一方、本の種類によっては、「じっくりと読む」ことが必要な場合もある。例えば、比較的スラスラと読める小説や雑誌と違い、難しい理論が体系的に書かれた学術書は、時間をかけてゆっくりと読まなければ、なかなか理解できない。

一般に、本を速く読む方法を「速読法」、じっくりと時間をかけて読む方法を「熟読法」と言う。基本的に、哲学するためには、様々な書物と出会い、思索を展開することになる。それ故に、「情報源としての本をいかに読むべきか」を考えることは、哲学する上でとても重要な問題であると言える。そこで、以下においては、この二つの読書法について考えてみたい。

速読法については、これまで色々な方法が考えられてきたが、私は、極端に速いスピードで本を読むことを奨励するつもりはない。では、超特急でないにしても、可能な限り速く読むためには、どんな読み方をしたらよいのであろうか。

本をきちんと読むためには、「書かれてある一字一句を声に出すとよい」とはよく言われることである。それなら、音読のスピードを上げれば確実に速く読むことができ、また内容もきちんと理解することができるという考えが成り立つ。しかし、文字を一つひとつ声に出して読むと、結局、どう頑張っても、相当な時間がかかってしまう。では、どうしたらよいか。

その答えは、「目に映る文字を感じる」という読書法を養うことだ。例えば、一行の文章を読む時、文字の一つひとつを「読む」のではなく、「目で感じ、その意味を感じる」ことを心掛ける。それでは、書いてある内容について明確に理解できないと思う人もいるだろうが、何度も訓練し、習慣化することで優れた、スキルを身につけることができるはずだ。何事も、「習うより慣れよ」（Practice makes perfect.）である。

世の中には、一行読んだら次の行はまったく読まずに、さらに次の一行を読むとか、一行の真ん中のみを見て、その前後は無視するといった速読法を伝授する専門家もいる。しかし、十分に文章を理解しようとするのであれば、このような読み方は問題外である。

ただし、「一字一句文字を目で追い、それらの意味を感じる」読み方は、トレーニング次第では、実際に時間をかけて丁寧に読むのと、さほど変わらない精度と理解度で読むことができる。

日本語は、ひらがな、漢字、カタカナという3種類の文字を、巧みに混合させて表現する言語である。ひらがなを文章のベースとして、核となる部分は漢字で表現し、外来語などはカタカナを使う。この表現方法を英語のアルファベッド表記と比べても、日本語は、極めて視界に訴える言語であり、「山あり谷あり」のごとく、実にドラマティックで美的感覚に優れた言語である。

このような「山あり谷あり」の言語を読む際には、「自分の目で感じ、意味を察する」読書法は、実に理にかなったものなのだ。

次に、熟読法についてだが、これはいわゆる「文章をじっくり読む」という読書法だ。内容が込み入った文章、即座に理解するのが難解な文章を目の前にした時に役立つ読書法と言える。時間は考えず、読んだ内容がちゃんと理解できているかどうか確認しながら読み進める。

「できるだけ速く本を読みたい」という願望は誰にでもある。一般に、「数多くの本を読むことで教養が身につく」と考えられていることから、人々は、本を読むスピードを上げ、できるだけ多くの本を読破したいと考える。

もちろん、簡単に読める本であれば、速く読んでもスラスラと内容が理解できる。しかし、ある程度難しい内容の場合は、スラスラと簡単に読むことは、極めて邪道な読み方である。

当たり前と言えば当たり前だが、難しい文章を読み、それを十分に理解するためには、一つ一つの語を丁寧に扱い、論理的思考方法を駆使して書かれた内容を理解することが求められる。したがって、難しい内容の本を読む際には、「じっくりと時間をかけて読む」ことを基本スタンスとし、決して背伸びした読み方をしないように注意すべきだ。

結局のところ、本の内容によって「速読」にするか「熟読」にするか考える習慣を身につけることが大切である。そして、「本は、単に速く読めばそれでいい」という考え方を持たないことである。本に合わせて読むスピードを変えられる柔軟性こそが、読書を有意義なものとするのだ。

ファッション誌も、読み方次第で哲学書になる

哲学するには、まず基本となる哲学書を読むことが先決であると考えるのが一般的だが、もしあなたが本当に哲学を試みる人であるならば、「思索をするためのたたき台は哲学書だけではない」という発想法を持つべきである。

例えば、書店の雑誌コーナーに置かれたファッション誌でさえ、読み方を少し変えるだけで、立派な哲学書にもなり得る。

一般に、流行の仕掛け人は、決して流行の中に自分の身を置かず、少し離れた位置から、「どうしたら次のトレンドを作れるか」とあれこれ試行錯誤するものだ。トレンドを仕掛けるエキスパートは、常に大衆における「心理」と「感性」を把握することにエネルギーを注いでいるため、街に出て様々な人や物を観察するとともに、多くのファッション雑誌を読み漁《あさ》る。

彼らは、ただ単に読むのではなく、「どの雑誌がよく売れて、どの雑誌が売れないのか」

れたファッションを楽しめるのである。

ということを含めて読み漁っている。つまり、彼らは職業人として、「今、大衆の気持ちがどこにあり、いかなる戦略で次のトレンドを作ればよいのか」ということを常に模索しているのだ。言葉を変えれば、このような行為も実に深い思索活動であると言えるし、まさに「哲学する」ということでもある。

我々も、「どんなに好きな雑誌でも、常にアウトサイダーの視点で読む」という発想を持つべきであろう。仮に趣味として読む雑誌であっても、それを客観視しようとする「キレる目」さえ養えば、実に面白い読み方をすることができる。「今、こんな洋服が大人気なのか。私も着てみよう！」という単純な洋服の選び方をしない人間にもなれる。

あなたも、「哲学者としてファッション理念を斬る」という問題意識を持ち、少しばかり「お洒落な哲学」を試みてはどうであろうか。

雑誌の情報だけで服を買う人は、結局、仕組まれた罠にかかっているだけだ。商業ベースの情報ではなく、本当の自分の個性と趣向でコーディネートする人こそ、真に洗練さ

哲学者のための哲学、素人のための哲学

「哲学は何のためにあるのか」――少しばかりでも哲学をかじったことのある人なら、この疑問に「哲学は、我々普通の人間のためにある」と答えるに違いない。

哲学の究極の目的は、いわゆる真理を追究することだ。そして、追求しようとするその真理は、言うまでもなく個々の人間のために存在する。ところが、理屈ではそうであっても、実際、哲学者と呼ばれる学者たちによって研究されている哲学は、一部の研究者が難解な哲学用語を用いてパズル遊びをしているようなものである。

「哲学は人間の生き方の案内役である」というのは名目上のこと。哲学者は、自分たちにしかわからない難解な理論を容赦なく並べ立て、抽象的概念をなお抽象的に用いて、解釈し、どんどんと一般の人々から哲学という学問を遠ざけてしまっている。

私も、哲学が好きだ。好きだから西洋・東洋の名著と呼ばれる哲学書を手に入れ、それらを読み漁る。

しかし、現実問題として、残念なことに、それらの多くは実に理解するのが難しい。「本を手にして読み耽《ふけ》った」というある種の満足感とともに、自分なりに理解し、吸収もしているが、偉大な哲学者たちの真の意図を、はたしてどれだけ理解できたのか、疑問が残らないと言えば嘘だ。

もちろん、学問研究としての哲学は必要である。学問としての哲学の発展は、哲学に興味のある人であれば皆望むことである。ただ、プロフェッショナルとしての哲学者自身が、「哲学は、世のため人のためにある」ことをもっと深く認識し、ごく普通の人々にも理解できるように、それを伝えようとする努力が必要だと思うのだ。

難しい概念を難しい言葉で表現することは、当たり前と言えば当たり前である。しかし、それに甘んじているだけでは、哲学者にとっても「自己満足の哲学」で終わってしまうことになる。「哲学は人生の案内役としての役割を演じなければならない」という意識を持った哲学者が、これからますます増えることを期待するばかりだ。

第5章

「生きること」「死ぬこと」をめぐる究極の哲学

安楽死と尊厳死

▼世界で初めて「安楽死」が合法化されたオランダという国

２００１年4月10日、オランダ議会上院は、安楽死合法化法案を可決した。この法案は、一定要件を満たした場合、安楽死を刑法上の犯罪から除外するもので、賛成46反対28（欠席１）の賛成多数で可決（下院においては２０００年11月に可決済み）。オランダは世界で初めて安楽死を合法化した国となった（ベルギーでも２００２年5月16日に安楽死合法化法案を可決）。

オランダでは、無意味な延命治療を行わないとする尊厳死に加え、耐え難い苦痛に苦悩する末期状態患者が薬物投与などの措置によって安楽死することが、すでに30年以上にわたって慣行化されてきたという医療現場における歴史的経緯がある。１９９３年、政府が安楽死を実施する際のガイドラインを作成したことからもうかがえるように、オランダにおける安楽死は、すでにある程度の市民権を得ていると言っても過言ではない。

2001年4月にオランダ議会上院で可決された安楽死法の骨子は、次の通りである。

①一定要件を満たす安楽死を行った医師に対しては刑事訴追しない。
②安楽死が成立するための要件を設定。
（a）患者の自由意思による安楽死の要請がある
（b）耐え難い苦痛が続き、何ら回復の見込みがない
（c）代替治療法がない……など
③担当医師は、最低1人の別の医師と協議すること。
④医師や法律家らで構成される地域評価委員会で安楽死に関する報告を審査する。

オランダにこのような法律が成立した背景には、同国が他のヨーロッパ諸国と比較しても、個人一人ひとりが相互の意見や生き方を尊重し、認め合うという社会基盤が維持されていることがある。安楽死を行う権利についても、比較的オープンな雰囲気で議論され、それを是認しようとする潮流が存在していた。

オランダといえば、1970年代に行われたマリファナ使用の合法化をはじめ、最近では、同性間の結婚を異性間の結婚と同等に扱う法律が制定されたことで、諸外国から

注目を集めている。オランダにおけるこうした「寛容さ」は、決して無責任な自由放任主義によるものではなく、「できる限り個人の権利や、生きる上での主義主張を認めよう！」という極めてポジティブな発想を基にしていると推察できる。オランダにこのような社会的ムードがあるからこそ、「耐え難い苦痛に苦しむ末期状態患者が、どのように自己の生命を全うするか」という個人の権利を検討し、それを認めようとする潮流が生まれたのであろう。

▼「死ぬ権利」と「人間の尊厳」をどう考えるか

言うまでもなく、日本においては安楽死立法の経験はない。そして、これまでの裁判所の判決でも、安楽死事件に関するものは実に少ない。少ない事件の中で、最も注目を浴びたものとしては、１９９５年の東海大学医学部付属病院の「安楽死事件」[1]判決を挙げることができる。

同事件は、多発性骨髄腫で入院していた58歳の患者の病状が、急変して末期状態となった際に、患者の家族から要請された担当医が、点滴やフォーリーカテーテルを外し、塩酸ベラパミル製剤や塩化カリウム製剤を注射して、患者を死に至らせたという事件である。

この時期、アメリカでは、遷延《せんえん》性植物状態患者からの胃チューブ撤去の是非をめぐって争われた「ナンシー・クルーザン事件」[2]（連邦最高裁判決）が激しく論議されていた。そうした背景から、１９９０年代は、安楽死問題が世界的に大きく注目を浴び、医事法学者、生命倫理学者、哲学者、作家などが激しい議論をするようになった。

21世紀を迎えた日本が、急速に高齢化社会へと推移していくことは確実視されている。そうした社会背景の下、医学の発展とともに論議されてきた「延命治療の是非」について、さらに熱い議論が展開されている。

終戦直後の昭和23年（１９４８年）、最高裁で出された、「生命は尊貴である。一人の生命は、全地球よりも重い」という判決理由[3]はあまりにも有名である。これは、判事がイギリスのサミュエル・スマイルズ（Samuel Smiles, 1812-1904）の『自助論』（Self-Help）を引用して述べた部分だが、人間の生命の重さを示唆する見解として高く評価できる。

現代の医療現場では、延命治療のために体中をチューブでつながれた末期状態患者が、人間らしく、尊厳を持って死に至りたいと訴えるケースが、しばしば起きている。そうした末期状態患者の「死ぬ権利」（right to die）を、どのようにとらえるべきか。それを検討することは、患者の「一個の人間としての権利」をどう擁護するべきかという問題でもある。そして、これを考える上では、「人間の尊厳とは何か」という問題を慎重に考える必要性が出てくる。

１９４９年5月4日に採択された、ドイツ連邦共和国基本法の第1条第1項は、「人間の尊厳は不可侵である。これを尊重し、かつ保護することは、すべての国家権力の義務である」と規定している。[4]この基本法では、特に「人間の尊厳」についての定義づけはしていないが、人間の精神性、人格性、（責任を伴う）自己決定、自己形成の能力などを包含して、これを解釈するのが普通である。

確かに、このドイツ連邦共和国基本法で定めるように「人間の尊厳」は不可侵ではある。しかし、「人間の尊厳」と「生命の尊重」とを、いかに関係づけるかという問題について考えることも非常に重要だ。

ホセ・ヨンパルト上智大学名誉教授が示す相互関係を用いれば、「人間の尊厳」と「生命の尊重」の関係は、〈人間の尊厳→生命の尊重〉ではあるが、〈生命の尊重→人間の尊厳〉ではない。[5]つまり、「人間の尊厳」が前提となって「（人間の）生命の尊重」の価値が出てくるということだ。

もちろん、「生命」という概念には、人間・動物における格差はないが、「人間の生命」（人命）の尊重は、言うまでもなく人間に限るものであり、それは他の動物の生命よりも（生物学的にも医学的にも）高い価値がそこに存すると言える。これは、「人間の生命と動物の生命は同格ではない」ということを意味し、「生命の尊重」つまり「（人間の）生命の尊重」は、必然的に「人間の尊厳」という範疇から導き出る価値と考えることができる。

▼安楽死の概念

安楽死は、英語で「euthanasia」という。この言葉は、17世紀のイギリスで司法官、政治家、哲学者として活躍したフランシス・ベーコン（Francis Bacon, 1561-1626）によって、ギリシア語の「eu」と「thanatos」を合成して作られた言葉である。「eu」は「noble」（崇高な、気高い、高貴な）、あるいは「good」（良い）という意味を持ち、「thanatos」は「death」（死）を意味する。それ故に、本来、「euthanasia」という言葉が包含するニュアンスは、「崇高で良き死」ということになる。

現代社会においては、総じて、安楽死から「崇高で良き死」というニュアンスなど感じ得るものではない。通常、安楽死は、不幸や苦痛に満ち溢れた、屈辱的、あるいは非人間的な状態から逃れるために迎える死と解されている。さらにわかりやすく言うならば、「安楽な状態に至るための死」という意味で使われている概念である。

このような意味合いで安楽死を最初に唱えたのは、イギリスの人文主義者、著作家のトマス・モア（Sir Thomas More, 1478-1535）である。トマスは、著書『ユートピア』（Utopia）において、ヒューマニズムの立場から安楽死肯定論を展開した。日本でも、森鴎外（１８６２―１９２２）が小説『高瀬舟』の中で、日本人としては初めて安楽死の問題に触れている。また、鴎外は『高瀬舟縁起』という小文を発表し、安楽死の概念をさらに具体的に述べることに努めた。

近代における安楽死の考え方は、過酷な治療と耐え難い苦痛を余儀なくされている末期状態患者を、単にそうした状態で放置しておくのではなく、「本人を苦痛から解放してあげたい」という極めて人道主義的な考え方に依拠しているものだ。しかし一方では、いかに苦悩に満ち溢れていても、神が人間に与えた賜物である「生」を、人間の勝手な解釈で人為的に断つ行為は、どのような正当化を試みようとも決して許されないと解する、宗教的な価値観が存在することも確かである。

▼尊厳死の概念

尊厳死（death with dignity）は、戦後、医学が目覚ましい発展を遂げた波及効果として現れた概念である。医学の発展は高度な延命治療を可能としたが、本来ならばごく自然な死を迎えるはずの末期状態の患者が、行き過ぎた延命治療によって、人間としては極めて不自然な「死に際」を演じなければならなくなってしまった。尊厳死とは、患者が自己の「人間としての尊厳」を全うする目的で、延命治療を中止、あるいは差し控えるという概念なのである。(6)

そもそも尊厳死は、医学技術の高度な発展による過剰治療からの解放を意味するものであり、例えば患者の身体がいくつものチューブでつながれた過酷な「スパゲティ状態」を中止することである。つまり、「人間としての尊厳性を維持できる状態で、本人の生命を全うさせる権利を容認すべきだ」というのが、尊厳死を肯定する考えだ。

尊厳死を認める理由としては、端的な「延命至上主義」への反省、そして、それに対する批判から導き出すことができる。

古代ギリシアの「医学の父」ヒポクラテス（Hippocratēs, 460?–375?B.C.）が唱えた「患者が生きている限り、最後まで治療を施す」という『ヒポクラテスの誓い』は、長い間、西洋の医師たちの心の中で温められた「古き良き職業倫理」である。

しかし、高度に発達した延命治療の技術は、患者に苛酷な苦痛をもたらし、人間としての価値や尊厳までも喪失させてしまうという不幸も、同時に招いてしまった（その反面、疼痛緩和治療の技術も目覚しい発展を遂げている)。そして、実に皮肉な現象ではあるが、医療技術が発展すればするほどに、尊厳死の問題は増加する傾向にある。

▼いかに善く死ぬべきか

一般に、安楽死は、「積極的安楽死」と「消極的安楽死」の二つに大別されている。「積極的安楽死」は、患者の本人の嘱託または承諾に基づいて、作為的に患者の生命の短縮・断絶を行うものである。例えば、致死量の薬物を注射する行為などがそうだ。

一方、「消極的安楽死」は、患者に対して生命維持のために必要な基本的処置を、あえて行わないことを指す(もちろん医師は、その措置を行わなければ患者の生命が短縮・断絶され、死期が早まることを十分に認識している)。具体的に言えば、自力で必要な栄養を摂取することが不可能な植物状態患者に対して、水分や栄養を与えずに死に至らしめる行為を指す。

尊厳死と積極的安楽死とは極めて異なる性格を持っている。また、尊厳死と消極的安楽死も、微妙ではあるが、異なる性格を持っていると言える。

そもそも、消極的安楽死と尊厳死は不作為ではある。しかし、消極的安楽死は「自然死としての死期を早める」ということを目的としているが、尊厳死は「自然死としての死期を過度に引き伸ばす措置を止める」ということを目的としている。

すべての尊厳ある人間は、ごく自然な状態で死を迎えることが望ましいという観点に立脚した場合、「自然死を不当に早める」ことを目的とする安楽死は容認されないが、「自然死を過度に引き伸ばすことを止める」尊厳死は容認されるべきであると考えられている。

日本の学説においては、通常、消極的安楽死の概念に尊厳死を含めるが、尊厳死という概念が登場し始めた医療現場での、歴史的プロセスとその意義を鑑《かんが》みると、今後は、これらを区別して考えることが望まれる。

昭和58年（1983年）10月、日本安楽死協会は、その名称を「日本尊厳死協会」へと変更した。同協会は、不治かつ末期状態の患者、及び植物状態の患者に対する、過剰な延命措置の継続に対し、各人の自発的な意志によって、そのような医療を拒否する運動を行ってきた。しかし、「安楽死協会」という名称により積極的安楽死（慈悲殺）を推進する団体であるかのような誤解を招くことを避け、会の考え方が「人間の尊厳を守る人権の主張である」ことを強調するために変更した。

同会の名称変更がなされた背景には、積極的安楽死についての世論の警戒心に対する配慮があったわけだが、具体的には、「安楽死法制化を阻止する会」（昭和53年11月発足）の声明に対する配慮でもあった。

その声明とは、「安楽死法制化への動きは、明らかに医療現場や治療や看護の意欲を阻害し、患者やその家族の闘病の気力を失わせるばかりか、生命を絶対的に尊重しようとする人々の思いを減退させている」というものであった。

このような諸団体の理念の対立は、患者の「死ぬ権利」を考える際の議論を活発化させるとともに、現在の安楽死・尊厳死問題を検討する上で、主要な論点を導き出すことにもなった。この問題について、考えられる論点を大きく分けると、以下のような二つのポイントになる。

①安楽死と尊厳死を肯定することは、「人間の尊厳」を守るための主張なのか、それとも「人間の尊厳」に反する主張なのか。

②安楽死と尊厳死を肯定することは、「それを行う本人のため」のものか、それとも「生き残る周囲の人のため」のものなのか。

この二つのうち、最も根本的なポイントは①である。安楽死と尊厳死を肯定することは、「人間の尊厳」を守るためのもの、つまり、尊厳を有する個々の人間の人権を擁護するための肯定なのか、という問題である。

よく考えてみると、人間が「いかに善く生きるべきか」という問題は、「いかに善く死ぬべきか」という問題でもある。

すでに述べたように、人間の生命（人命）を尊重することは人類共通の理念である。だからこそ我々は、そうした基本理念を見据え、人間の生命を「尊厳ある生命」（life with dignity）として死に至らせたいと望む末期状態患者の権利について検討することが必要となってくる。人生のラストステージにおける最も重要な問題を、はたしてあなたはどう考えるだろうか。

この問題について、オランダの国立フローニンヘン大学法学部のジョン・グリフィス教授（Professor John Griffiths）は、安楽死や終末期医療に関する諸問題は、医事法学者や生命倫理学者が研究するケースが多いが、このようなデリケートな問題は「人間の尊厳とは何か」「尊厳ある生き方とはいかなるものか」という、哲学における極めて重要な問題を踏まえた上で実際的かつ応用可能な学際的研究が行われるべきである、と述べている。(7)

哲学が扱うべきテーマは実に広い。哲学はもちろん、「今生きている人間がいかに生きるべきか」という問題を考えることが優先されるべきだが、尊厳ある人間として、「いかに人生の終焉を迎えるべきか」という問題をも包含するものなのである。

（１）横浜地裁平成7年3月28日判決（『判例時報』１５３０号28頁）。
（２）Cruzan v. Director, Missouri Dept. of Health, 497 U.S. 261, 110 S. Ct. 2841（1990）
（３）最高裁昭和23年3月12日大法廷判決（『刑事判例集』2巻3号１９２頁）。
（４）Hans Nawiasky, Die Grundgedanken des Grundgesetz fur die Bundesrepublic Deutschland, 1950.『解説　世界憲法集』第4版（樋口陽一・吉田善明訳／三省堂／２００１年）１９３頁。
（５）『法の世界と人間』（ホセ・ヨンパルト／成文堂／２０００年）２３２頁参照。
（６）１９９４年に行われた日本学術会議の「死と医療特別委員会報告――尊厳死について――」において、同委員会は次のような見解を示している。「生命維持装置の導入など、生命維持治療の長足の進歩により、輸血、高カロリー輸液、心臓マッサージ、人工呼吸などの延命措置が発達し、従来は不可能であった患者の治療が可能になってきたが、それに伴い、末期状態にある患者の延命も可能になり、がんなどの激痛に苦しむ末期状態の患者や、回復の見込みがなく死期が迫っている植物状態の患者に対しても、延命治療を施している場合が多い。尊厳死は、こうした助かる見込みがない患者に延命治療を実施することを止め、人間としての尊厳を保ちつつ、死を迎えさせることをいうものと解されている」（以上、同委員会の報告より抜粋）。
（７）海外でも、安楽死や終末期医療における患者の権利については実に白熱した研究・議論が行われている。例えば、２００２年8月、オランダ、マーストリヒトで行われた第14回世界医事法会議（14th World Congress on Medical Law）においてはこのテーマでの発表が多かった。この会議には世界中の医事法学者、医学者、弁護士などが参加した。アメリカからは、日本の医事法に詳しいアーカンソー大学ロースクールのロバート・B・レフラー教授（Professor Robert B Leflar）、日本からは弁護士・日本医師会参与の畔柳達雄氏、神戸大学の丸山英二教授などが参加し、日本の現状についても議論された。

人間の「生命の質」（quality of life）について考える

▼「生命の質」についての議論の幕開け

一般に、「生命の質」は、生命倫理学や医事法などの分野で「quality of life」（ＱＯＬ）と呼ばれている。英語では、患者の権利に関わる問題を論じる際、「生命の質」を含めた「生活の質」という意味で用いることもあるため、以降、ここではＱＯＬと呼ぶことにしたい。

ＱＯＬという言葉は、１９６０年、アメリカの「市民社会の幸福に関する大統領委員会」において、医療倫理の課題を検討する際に「examine the quality of individuals' lives」という表現が用いられて以降、注目を浴びるようになった[1]。

その後、１９６８年には、法学者であるキンダーガンが『ザ・クオリティー・オブ・ライフ――アメリカ法の道徳的価値について――』[2]を出版し、法学の観点から生命操作や人工妊娠中絶、死、家族や市民社会の生活などのＱＯＬを述べた。１９７２年には、ジョセフ・フレッチャー（Joseph Fletcher）が『人間であること』（Humanness）の中で、人間のＱＯＬを判定する15の基準を紹介した。

１９９５年の『バイオエシックス百科辞典』[3]（Encyclopedia of Bioethics）では、ＱＯＬは、①臨床の場におけるＱＯＬ、②ヘルス・ケアの配分におけるＱＯＬ、③法律上の見方からのＱＯＬの三つに大きく分けられている。

ＱＯＬの定義は、極めて漠然としており、抽象的である。その一番の原因は、「quality of life」の「life」が非常に曖昧な概念であるということだ。概して、「life」には二つの意味がある。一つは、人間の生物学的な生命の維持に必須な代謝上のプロセス、もう一つは、人間の「人格的な生命」、すなわち生物学的生命があることを大前提に、事物を選択したり思考することができるといった、人間的能力を包含した「life」である。前者は、いわゆる動物としての生命であるが、後者は、理性を有する動物として人間存在を捉える観点から、定義づけをしている。

つまり、後者においては、「思考する」という人間的能力があるかどうかで、生命の質を決めるということである。例えば、遷延性植物状態患者は、前者の生物学的生命は持っているが、後者の人格的生命は持っていないという見方になる。

また、「quality」は、一般的に何らかの「優越性」「卓越性」に関わる概念だが、これを生物学的生命と人格的生命がともに有する「属性」「特性」「固有性」と考えることもできる。[4]

医学が目覚ましい発展を遂げた、１９６０～１９７０年代、ＱＯＬは本格的に問われるようになった。例えば、末期癌患者に対する治療方法を考える時、従来の、患者の生命を延長することに意義があるという考え方ではなく、患者の「生活の質」を高めようとすることに重要な意義があると考えるようになったのだ。

アメリカの社会学者、ダーレンドルフは、「量的拡大から質的改良へ」と主張したが、これはまさに、人間の生命の「長さ」を無条件に重要視するのではなく、患者本人がいかにして人間らしく、より善く生きることができるか」という生活の中身を重視する考え方である。

我が国でも、１９９２年、永田勝太郎が著書『ＱＯＬ――全人的医療がめざすもの――』の中で、「医療におけるクオリティーとは、キュア（cure）だけではなく、キュアとケア（care）を実践する医療への大展開である」という旨を述べたことは高く評価するべきである。[5]

▼フランス外科学の父、アンブロアズ・パレが指摘した「医師の思いあがり」

16世紀のフランスで、解剖学を外科に応用し、近代外科学の基礎を築いた有名な外科医・アンブロアズ・パレ(6)（Ambroise Pare, 1510-1590）は、「Je le pansay, Dieu le guarit.」（余包帯し、神これを癒し給う）と言った。

外科医とて、不完全な存在（人間）であると自覚していたパレは、「外科医は決して驕《おご》ってはならない。癒すのは医師のみではなく、神から人間に与えられた自然治癒力が瘡傷を癒すのだ」と、ともすれば驕りがちな外科医たちに訴えたかったのだ。

これは、いわゆる医師が行う治療行為を、「完全なる『cure』である」と自負する「医師の思い上がり」への警告として捉えることができる。

むろん、パレが主張したのは治療行為そのものの範疇においてであり、そこには宗教的心情、そして純粋なピポクラテス主義を全うしようとする（医専門家が持つべき）倫理が窺《うかが》えると解するのが一般的である。

16世紀当時、パレに今日のQOLのような問題意識があったわけではないだろうが、この言葉は、いわゆる「医師が『cure』を施す際の倫理観」を基礎としながらも、「医療全般が『cure』から『care』へ推移する」プロセスにおける、一つの大きな精神基盤としての役割を演じたとも解することができよう。

▼「生命の質」vs「生命の尊厳」

ＱＯＬについて論じようとする際、時として「sanctity of life」（以下はＳＯＬと呼ぶ）すなわち「生命の尊厳（尊厳性、神聖性）」という概念との衝突が問題になることがある。これは、いわゆる（患者の）生命の尊厳は絶対不可侵な価値を持っており、この世のすべての人間の生命の価値は平等に扱われ、「神聖なもの」として尊重されなければならない、とする立場である。

ＳＯＬは、本来、キリスト教的な考え方をその発祥としている。例えば、１９７８年、キリスト教倫理学者であるポール・ラムゼイ（Paul Ramsey）は、妊娠中絶に対して強く反対の見解を示している。ラムゼイは、「幼い命であっても、それぞれが個別的な価値を持つ」と力説し、「equality of life」（生きることの平等性）を生命倫理の基準としたのだ。

「ＳＯＬかＱＯＬか」という問題は、論理の展開が度を越えると、単なる抽象的な理屈と理屈の争いとなり、あまり意味のない議論となる恐れがある。

したがって、ジョージタウン大学ケネディー倫理研究所のマコーミックが、『バイオエシックス百科事典』で、「protectable humanity」（保護されるべき人間性）という観点からＱＯＬを追求しようと試みたことは、実に注目に値することである。

マコーミックは、「quality」（質）や「attribute」（属性）というのは、人格的な生命、すなわち人格的な関わり（人間関係）を結ぶ能力があるか否かで判断すべきである」と述べ、ダウン症児は人間関係の能力を持つと考えられるが、脳障害の幼児はそのような能力は持ち得ない、という見解を示した。

また、彼は、ＱＯＬとＳＯＬの融合を図ろうと試みているようにも思われる。ＱＯＬとＳＯＬという二つの原理は、互いに対立するものではない。生きることの質（ＱＯＬ）は、生命に対する畏敬《いけい》の念をもって評価される。したがって、ＱＯＬはＳＯＬ（生きることの神聖さ）の延長線上に位置すると考えられ、これら二つを分類したり、別々の名称を付けたりするのは誤りで、それは概念上の分裂に他ならないと、彼は述べている。

いずれにしても、この問題は抽象的なセオリーとして議論するよりも、現実に「自分自身が尊厳ある人間としてＱＯＬを維持できなくなった時に、一体何を望むか」を検討することで、その答えが明らかになる。我々が、この人生における最期の選択について考えることは、まさに自らの人生を哲学することであるのだ。

（1）『癌とQuality of Life』（漆崎一郎編／ライフ・サイエンス社／１９９１年）５頁参照。

（2）Kindregan, Ch. P., The Quality of Life--reflections on the moral values of American law--, The Bruce Publishing Company（1969）

（3）Encyclopedia of Bioethics, W. Th. Reich editor in chief, 1995.

（4）Ibid., pp.1353-1354.

（5）『ＱＯＬ——全人的医療がめざすもの——』（永田勝太郎著／講談社／１９９２年）95頁において、医療におけるクオリティーとは、キュア（cure）だけを目的とした古い医療・看護から、キュアとケア（care）を実践する医療への大展開であると述べている。これはすなわち、病気を診ることのみを目的とした医療ではなく、病気に罹《かか》った人間を、総合的視野に立って世話をするという転換であると言える。

（6）パレは、１５１０年、フランスで生まれた。少年時代は理髪屋の見習いであった彼は、19歳になるとパリに出て理髪師と兼業して外科医の助手となり、包帯巻きや膏薬の塗り替えなどをして医療実務の経験を積むことに専心した。１５３６年、３回目のイタリア戦争が始まると、看護長として活躍。その後、４回目のイタリア戦争にも従軍。

　パレは、観察力と創造力を巧みに活かし、銃・弾丸創の新しい治癒法を生み出すことに成功し、１５４５年には、小冊子『銃創の処置について』を出版。その他、四肢切断時における出血端の血管結紮《けっさつ》法の再興、産科における足位回転術の提唱などで、臨床医として医学界に貢献した。フランスでは、パレほどの優れた臨床医は18世紀半ばまでは存在しなかったと伝えられており、現在では広く「フランス外科学の父」と呼ばれている。

第6章

日本人が哲学して見直すべきこと

「哲学者」としてネットサーフィンしてみよう

21世紀を迎えた現在、パソコンは我々の毎日の仕事や生活に欠かせない道具（tool）となった。ビジネス文書や資料の作成、電子メールによる取引相手とのやりとりや社内の業務連絡など、様々な使い道があるが、パソコンが重宝がられる一番の理由は、何と言ってもインターネット機能のためである。インターネットを介せば、世界中のあらゆる情報に瞬時にアクセスでき、実際に現地を訪れなくとも、必要な情報を手に入れることができる。これが最大の効用性といえるだろう。

自分が必要とする情報がインターネット上にあれば、クリック一つで目の前の画面に呼び出すことができる。しかも、そのほとんどは無料で、通信費のみで入手が可能だ。

一昔前は、本や新聞、雑誌などから情報を得なければならなかった。本は図書館で借りるか、書店で買ってこなければじっくりと読むことはできず、そう考えると、欲しい情報に瞬時にアクセスできるインターネット、またそれを簡単に保存しておけるパソコンがあれば、お金を出してわざわざ本を買う必要もなくなるというものだ。

しかし、本には本の良さがある。紙を一枚一枚自分の手で捲《めく》り、心を落ち着けてじっくりと読めることだ。どのような文章にも、書き手の伝えようとするメッセージがあり、独自の表現方法がある。だから、我々が本を読む時には、紙に印刷された活字をじっくりと目で追い、まるで絵を鑑賞するかのように、ひらがな、漢字、カタカナの三種類の文字の組み合わせを楽しみ、文章のメリハリを味わうことができる。本を読むという行為は、書き手のメッセージを基礎情報に、思索に耽《ふけ》ることでもあるのだ。

インターネットを使えば、膨大な情報が手に入る。便利と言えば便利であるが、そうした情報の中には役に立たないもの、社会や人々の害になるものもある。情報とは、「あればあるほど善である」という考え方が成り立たないものなのだ。

情報は、自分が必要とするものだけあればよい。不必要な情報は、人間の心を惑わし、思索しようとする心を妨害することさえあるからだ。それ故に、我々がインターネットを見る時も、「節度を持って、厳粛な気持ちで見る」スタンスを心掛けたいものだ。

あなたが、自分をもっと高めるための本を書店の中で探し求める時は、恐らくどこか「厳粛な気持ち」で、棚を見て回ることだろう。その時のあなたの顔は、実にキリッと引き締まった、魅力たっぷりの表情をしているに違いない。逆に、ダラダラとした表情、張りのない表情で、自己啓発のための本を探す人などは、まずいないだろう。

インターネットを使う際にも、あなたが本屋で見せるような厳粛な表情、自分を高めるための情報探しをするべきである。暇だからネットサーフィンするとか、遊びの道具にインターネットを使うという姿勢さえ変えてしまえば、そこには実に魅力的な自己啓発の場が広がっているはずだ。

「どんな情報をどのように使うべきか」は、個人によって様々だ。それについては、あなた自身で考えなければならない。「考える者」「哲学する者」としてインターネットを使う。その基本姿勢を自分のライフスタイルの中に設定することで、あなたはもっとダイナミックに思索する毎日を送ることができるようになるのだ。

「東アジア人」としての誇りを持とう

２００年以上も鎖国政策が続いた江戸時代末期の１８５３年（嘉永6年）、アメリカ東インド艦隊司令長官ペリー（Matthew Calbraith Perry, 1794-1853）は4隻の軍艦を率いて浦賀に現れ、フィルモア大統領（Millard Fillmore, 1800-1874）の国書を提出して日本に開国を求めた[1]。対応に迫られた幕府は、ひとまず国書を受け取り、その返答を翌年に出すとペリーに約束した。

１８５４年（安政元年）、7隻の軍艦を率いてペリーは再び来航し、条約の締結を強く迫った。アメリカと日米和親条約を結んだ幕府は、それに続いてイギリス、ロシア、オランダとも和親条約を結び、2世紀以上にわたって行われてきた鎖国政策は、事実上、終止符を打つことになった。

その後、日本は、明治維新を経て、それまでの閉鎖的な世界観を改め、西洋諸国から多くの優れた学問や技術を学んで国の近代化を図り、第二次世界大戦後は主にアメリカの影響を受けるに至った。つまり、江戸時代末期から現代までの１世紀半という時間的空間において、日本は「西洋に追いつくこと」を主眼に、国を発展させてきたのである。

自らの文化の中に、西洋文化を巧みに取り入れることに成功した、歴史を賛美する表現に、「和洋折衷」という言葉がある。これは、日本の特殊な歴史の歩みを表象するものとして、愛すべき言葉ではあるが、時として我々は、この言葉の前に「盲目の世界観」を強いられてしまっていることを認識するべきである。

「和洋」とは日本流と西洋流という意味だが、基本的に西洋が優れているが、そこに日本流も仲間に入れて、混合した状態を維持することで、国際社会の仲間入りを果たす、という皮肉がある。

では、西洋諸国でこの逆の考え方はあるのだろうか。承知のように、西洋諸国に、そのような価値観を賞賛する考え方は、ほとんどない。個人の趣味としては別だが、社会全体の趣向としては、自国の文化よりも他国のそれを優先するような価値観が表に出され、大きく賛美されることなどあり得ない。

イギリスではイギリスの文化を最優先に置き、フランスではフランスの文化を最優先に置く。これは、多民族国家のアメリカでも同じことだ。先進国と呼ばれる国の中で、一体どこに他の国の文化を同化させて、それを賛美させる国があるのであろうか。

国の経済が発展して、世界のリーダーとしての役割を演じるようになった今、日本人はもっと自分の国の文化的独自性に目を向け、誇りを持って国を形作り、他の国の人々と交流することが必要だ。そうすることで、西洋諸国からだけでなく、他の地域の国々からも「独立したアイデンティティーを持った国」として尊敬されるようになる。

　そうした意味でも、日本人が西洋と東洋を比較する時に陥りがちな、「世界にはまず西洋があって、そして東洋がある」という、西洋人のステレオタイプな見方への追従はやめよう。日本人は東洋人である。したがって、「まず東洋があって、そして西洋がある」という見方をするべきである。

　とりわけ、日本人は地理的にも文化的にも東アジアの特色を持った民族である。どんなに茶髪や金髪にしようと、我々は東アジア人なのである。この現代社会を生きる我々は、堂々と「日本人はこうなのだ！」という誇りを持って生きていけばよいのだ。

　日本人としてのアイデンティティーを大切にしながら、国際的に通用する言語やマナーを身につけ、胸を張って国際社会に飛び出していくべきだ。

　西洋人に媚《こ》びる必要はない。中国、韓国、シンガポール、マレーシアなど、他のアジア人を見ても、自分の国の文化に誇りを持って、世界中の人々と交流している。我々日本人も、彼らを見習って誇り高く生きようではないか。

（1）１８５３年のペリーの来航前にも、日本は開国を迫られていた。１８４４年（弘化元年）にはオランダ国王が、１８４６年（弘化3年）にはアメリカ東インド艦隊司令長官ビットルが浦賀に来航し、日本との通商を求めたが、徳川幕府はいずれの要求をも拒絶した。

日本人は「ロジカルパーソン」になれるのか?

一般的に、人間は論理的に考える動物であるとされている。しかし、本当にそうであろうか。

文明社会に生きる者であれば、頭の中に「私は人間だから論理的に思考するぞ!」という心構えがあるのは、当然と言えば当然である。実際、本人が論理的であろうとなろうと、皆がそうすることに努め、そうであることに喜びを感じる。

「論理的」とか「ロジカル」という言葉の入ったタイトルの本が、昔からよく売れるのも、我々に「論理的でありたい」という願望が備わっているからに違いない。多くの日本人は、自分たちの憧れの人間像である「論理的思考能力を備えた人間」になろうと試み、ノウハウ本を読み漁る。本を読み終わると、「これでもう、自分には論理的な判断能力が身についた」という一種の錯覚に陥り、自己陶酔の世界に入ってしまう人もいるだろう。

しかし、実際には、単に本を読むだけで、論理的思考能力が簡単に身につくものではない。読書でセオリーを学んだとしても、それを実践して身につけることは決して容易ではないのだ。

我々日本人は、机上の理屈としては、「論理的に考える」ことがどのようなものであるのかを、ある程度は知っている。しかし、実際の生活で起こる物事に対して論理的に思考し、妥当な対処をしている者は、極めて少ない。

日本人が、自分の行動決定する際の思考プロセスにおいては、「感情」が大きな割合を占めている。しかも、それは普段から持っている信念による感情ではなく、「時の感情」あるいは「その場の感情」と言える。

例えば、あなたが街を歩いている時、ある外国人から近くの駅までの道を尋ねられたと仮定する。「道に迷った外国人を助けることは、正しい行為である」という常識は誰でも持っているが、英語が得意であるかどうかにかかわらず、助けを求めてきた外国人に対して、あなたは丁寧に対応することもあれば、逆に、まったく無視することさえあるだろう。困っている外国人を助けるのは「当たり前」の常識ではあるが、実際にどのように対応するかは、まさに相手次第であるからだ。

しかし、助けを求めてきた外国人が日本語を喋れなくても、いかにも親日風の白人だったら、あまり外国人とのコミュニケーションに慣れていない日本人でも、かなり親切に対応するのではないだろうか。

一方、同じように助けを求めてきた外国人が、かなり日本語を喋れる場合であっても、その人がアジア人であったり、アフリカ人であった場合には、残念なことに、白人にするような「過剰な親切心」で対応しない人がいる。これは日本人によく見られる、「白人に憧れ、非白人は見下げる」という、実に偏った人種的偏見と社会風潮に依拠している。また、日本人が相手でも、出会いがしらの印象の良し悪しで対応が微妙に変わるだろう。

困っている人に親切にするべきなのは誰でもわかっている理屈だが、「どのような行動をとるかは時と場合による」ということが、一般的日本人の行動パターンである。

では、アメリカ人は外国人に対して、どのような対応をするのであろうか。

アメリカでは、相手が見るからに危険、あるいは異常な外国人でない限り、尋ねてきた相手が白人であろうと、黒人であろうと、アジア人であろうと、人種には関係なく丁寧に道を教えるのが普通である。これはアメリカの善良な市民におけるコモンセンスとも言えることだ。

このように考えると、「アメリカには人種差別がないのか」と感じるかもしれない。ところが、アメリカは、古くは植民地時代から南北戦争（The Civil War, 1861–1865）の時代まで、黒人奴隷制度を温存してきた国であり、奴隷解放後も実に多様な差別問題が勃発してきた国柄だ。

承知のように、現在のアメリカ社会では、法の下における人種間の不当な差別はない。だが、「異人種に対して色眼鏡で見る」という、人々の本性的な心理作用が取り除かれたわけではない（もちろんこの問題は個人によって異なり、差別意識のない人も確かに存在する）。それではなぜ、先に挙げたケースにおいて、多くのアメリカ人は、どんな外国人に対しても優しく、寛容な態度で接することができるのだろうか。

簡単に述べるなら、彼らは自分の感情ではなく、社会道徳の規範に基づき、論理的に考えて自分の行動を決定するということを、社会生活の中で実践しているからである。

①「困った人を助けるのは人間としての常識である」（大前提）
↓
②「目の前に困った人がいる」（事実）
↓
③「だったら助けよう」（結論）

これは、大前提に事実を当てはめて、結論を導き出すという、ごくシンプルなロジックである。このロジックには、人種的な偏見などはほとんどなく、あるのは「困った人を助けるのは、人間としての常識である」という「大前提の実現」に他ならない。そこに「その場の感情」は介在しない。こうした思考方法は、一般のアメリカ人でも習慣として染みついており、無意識のうちに行うことができる。

私は、これこそが「論理を実践する力」における日本人とアメリカ人の大きな違いであり、同時に、日本人が改善しなければならないネガティブな側面であると考える。

結局のところ、「感情」のみで行動が左右されず、あらゆる状況において一個の人間として論理的に考え、それに基づいて理性的に実行できる行動力を養うことこそ、現代の日本人に求められることではないだろうか。

日本人の「曖昧さの美徳」は国際社会で通用するのか？

日本人の伝統的な精神構造の一つに、「物事を不透明なまま捉え、概念の曖昧さを重んじる」というものがある。

西洋型の精神構造のように「論理的に思考し、概念を明確化する」ことは、日本社会においても決して悪ではないが、一般には、「曖昧さの美徳」が無形の伝統として重んじられていると言える。

日本社会にどっぷりとつかって暮らしていると、そのような考え方をわざわざ「日本の美徳」などと考える人は少ないかもしれない。だが、実際、世界の国々と比べると、日本人が極めて「曖昧な概念」を好む民族であると肌で感じることが少なくない。

むろん、簡単に物事を断定することを避け、微妙なニュアンスで表現し、その中にある「本当に大切なもの」や「真実」を潜ませておくという表現方法には、実に深い精神がある。しかし、極めて固有の思考・表現方法だからと、無意味に世界にアピールしても、時として、国際社会では受け入れ難いものだ。

概して、日本人が持つ「曖昧さの美徳」を理解できる外国人は、限られた教養人ぐらいである。しかも、文化比較として日本の「曖昧さの美徳」について十分に考察するためには、既存の西洋主導型の学問の潮流とその権威に溺れることなく、世界のあらゆる概念について比較検討する必要がある。それには、幅の広い知識、教養、洞察力などが求められるが、実際、教育レベルが高いといわれる先進諸国へ行っても、そのような教養人に遭遇するのは実に稀だ。

現在、日本文化に興味を持つ外国人の数は多いが、彼らが興味を持つ動機づけは、日本文化の「異質性」である。特に、西洋人が日本文化やアジアの文化に興味を持つ理由は、「日本文化は自分たちの文化よりは劣っていて、異質なものではあるが、それに触れることは実に興味深く面白い」というケースであることが多い。

2002年の春学期まで私が教鞭を執っていたラフィエット大学は、アメリカ北東部・ペンシルベニア州のイーストンにキャンパスを構える「リベラルアーツ（一般科目）・カレッジ」である。学生数が2000人ほどの小さい大学ではあるが、自ら日本に関心を抱いて、日本に関係する授業を選択する学生も少なくなかった。

高校時代に日本語を学んだとか、テレビで日本のアニメを見たり、友達に日系のアメリカ人がいて、日本に興味を持ったという学生もいるが、ほとんどの学生は授業を受ける直前まで、日本についてはほとんど知識がないというのが普通である。動機はどうあれ、日本に興味を持っているアメリカ人学生がいるという事実は、実に嬉しいことだが、実際に彼らに授業を行うとなると、かなり基礎的なことから始めなければならないのが実状だ。

一般に、日本人は、日本に興味を持つ外国人と接すると、手放しで喜ぶ傾向がある。だが、西洋人はしばしば、平等であるべき人間同士としては極めて「不健全」あるいは「不平等」な動機に基づいて、極東の島国・日本に関心を持つ場合があることを、我々は認識する必要がある（もちろん「アジア地域に対する純粋な憧れ」から関心を抱く西洋人もいる）。

それでは、我々日本人は、概して「奇妙」と思われている自分たちの文化を、どのように国際社会に紹介し、「日本人の武器」として活用していったらよいのであろうか。

多様な価値観が存在する国際社会の中でも、日本人の精神基盤である「曖昧さ」「幽玄」「質素」「厳格な敬語表現」などは極めて特異な性質を持つため、それらを現実の異文化間のコミュニケーション術として役立てることはできないという見方もある。しかし、日本人として、国際社会に生きる価値を見出そうとする今、そのようなネガティブな考え方でこの話を終わりにする必要もないだろう。
あらゆる国家や民族には、それぞれの長い歴史と伝統に基づく「持ち味」というものがある。だから、最初から自らの持ち味を変えてしまう必要はない。すべての国家や民族がそのような端的な考え方をしてしまったら、地球上に存在する独自性溢れる個々の文化や伝統は一極化され、人類の有形・無形の知的財産が滅びてしまうだろう。それは、実に悲惨な光景である。

冷静に考えてみると、国際社会に合わせて自らの見方・考え方を変えていこうなどと、謙虚な姿勢でいるのは、日本ぐらいではないだろうか。どこの国も、国際舞台で「我こそは」と言わんばかりに、国や民族の文化・思想に基づいた主張をするのが普通だ。なぜならば、国際舞台で国のアイデンティティーを強調することは、世界に自国の存在価値を大きく宣伝する絶好の場となるからである。

そもそも「国際社会」とは一体何であろうか。それは、「アングロ・サクソン流」でも「アメリカ流」の社会でもないし、「西洋流を第一に考える社会」でもない。

一見すると、カネのある国が外交でイニシアチブをとるメカニズムになっているため、「アメリカ化すること（Americanization）が国際化すること（internationalization）である」と考える人が多い。

だが、そのような見方は平和ぼけした日本の大衆の妄想でしかない。現に、アメリカ人を除く西洋の文化圏の人々は、そのような世界観を抱くことはないし、それを是とすることもない。

西洋文化圏の国々は、政治・外交上における力関係でアメリカを十分に尊重するが、アメリカの流儀を即「国際社会で台頭させるべき流儀」であるという考え方はしない。その理由は、西洋諸国には、他の文化に理解を示しながらも、自国の固有の文化を大切にする精神を先人から受け継ぎ、それを子孫にも残していこうとする考え方が、深く根付いているからである。

しかし、現在の日本はそうではない。「国際社会で通用するためには」という「国籍不明の概念」にばかり気を取られ、日本独自の考え方や文化、思想を大切にすることを疎《おろそ》かにしてしまっている。これは、何とも悲しくお粗末な考え方である。

21世紀のグローバル社会において、さらに国際協調を図ることは極めて重要である。それをどのように実現していくかは、外交政策においても最優先させるべき課題だ。それと並行して、日本独自の文化と伝統を守り、これからも自分たちの独自性を展開させ、それを世界にアピールしていくことを考えるべきである。

そうすることによって、「主権」を有する一個の国家としての存在価値を見出すことができるであろうし、「アイデンティティー不在の日本」という不透明なイメージから脱することも可能となるに違いない。

「若さ」が武器になるのは「お遊戯王国」日本だけ？

いつだったか、オランダのあるテレビ番組で、日本の若者についての特集が放映されていた。そのような特集が企画されたのは、当時、日韓合同で開催されたサッカーのワールドカップにおける、日本と韓国の若者たちのフィーバーぶりがオランダで注目を浴びていたからで、そうした熱狂の背景にある「日本の若者文化」を紹介しようという狙いがあったのであろう。

番組では、日本の若者は外国文化、特にアメリカの流行に影響を受けており、音楽やファッションはもとより、教育までもがアメリカ色が強く、若者の留学先もアメリカに人気があると伝えていた。

日本の若者が大国・アメリカに深い関心を持つことは、べつに悪いことではない。しかし、その番組では「日本の若者には、日本人としてのアイデンティティーがないのではないか」というニュアンスで伝えていた。それを観た私は、改めて日本の若者について色々と考えてみた。

考えた末、「今の日本人の多くは、日本を愛する気持ちはあっても、日本人としての信念や理念というものは、あまり考えていない」という心配が頭の中に浮上した。というのも、日本では総じて、「日本人はこうあるべきだ！」という信念を持つ前の段階で、何らかの不透明な心地良い感覚に呑み込まれ、イージーな方向に傾倒しようとする風潮が、多かれ少なかれあると感じたからである。

例えば、日本社会では、「年齢が若い」という事実そのものが武器となる。おかしなことに、女子高生であれば世間の大人たちからチヤホヤされ、彼女たちと接する大人たちは「若いっていいなー！」と口を揃えて言う有様だ。多くの大人がそう言う影響もあり、彼女たち自身も、「若いということは凄いんだ！・偉いんだ！」という錯覚に陥り、持ち前の若さだけで威張るようになる。いわゆる「空威張り」というヤツである。

このようなネガティブな風潮は、何も女子高生だけに見られることではない。20代前半を中心とする若者も、自分たちが若いということを、一種の特権であるかのように考え、周囲の年上の人々の話やアドバイスをきちんと聞こうとする者は比較的少ない。一事が万事、何事が起きても「まだ若いから大丈夫！」と考え、事の重大さを認識しようとしない若者もいる。つまり、そうした若者は「若い」が故に思索することを回避しているのだ。

このような風潮は、海外の若者と比較すると、極めて危険な風潮であることがわかる。そもそも「若いから考えない」という考え方自体、大きな間違いと言わざるを得ない。心を落ち着けて冷静に考えればわかるが、実際、年齢が若いからこそ深く考えなければならない。人生経験が浅く、世の中の厳しさを知らない若い世代の時にこそ、大いに悩み、考え、「人生いかに生きるべきか」と自問自答することは非常に重要な思索活動である。

人生について深く考えなければならない重要な時期に、空威張りするばかりで、毎日を無為に過ごし、楽な道を歩んでしまうと、とんでもなく時間を無駄にすることになってしまう。

会社や地域社会でリーダーシップを発揮しなければならない年代に突入した時、それまで思索しない生き方を続けてきた人は、「頭の中が空っぽの大人」になってしまう。なんと悲惨な状況であろう。そして、そこで思慮深い後輩たちを目の前にし、誰からも相手にされなくなっていくことにもなりかねないのだ。

21世紀を迎えた今も、明治維新は終わっていない

日本の多くの法学者や哲学者は、「日本人にはあまり権利意識がない」と口を揃えて言う。しかし、権利意識があるかないかという問題は、いわゆる程度の問題ではないだろうか。

アメリカは世界一の訴訟大国であり、法律家の間では、アメリカ社会は訴訟社会(litigious society)であるというのが一般的な見方だ。そもそも、アメリカが訴訟社会である理由には、アメリカ人の権利意識の強さがある。誰かに不当に自分の権利が侵害されると、それを回復するために、積極的に弁護士を雇って裁判を起こすことが日常茶飯事である。アメリカ市民にとって、「法」は自らの権利を守るための道具であり手段なのだ。

一般的に、日本では、自分の権利が侵害されても、よほどのことがない限り、弁護士を雇って法廷で争うことはしない。もちろん、日本でも法は権利を守るために存在して

いる。だが、軽率にそれに委ねてしまうと、隣近所や地域社会の人々から白い目で見られる恐れがあるので、日本人が法の力を借用する時は、いわゆる「最後の手段」として使うことになる。我々日本人にとって、法が「伝家の宝刀」(last resort)として位置づけられているのはこのためだ。

日本は古代、中国から律令制度を導入した。古代のローマ法の精神には、「法は個人間の紛争を解決するための道具」という基本理念があったが、中国や日本の古代法では、単に「統治者が定めた法を被統治者が守る」という戒律的な理念が基本となっていた。そうした背景もあり、法が「紛争を解決するための道具」であるか「遵守するためのものなのか」という問題は、概して「西洋的か」「東洋的か」という問題でもある。

ところで、「近代」という時代区分が意味するものは、いわゆる「個人の尊重」である。日本で法によって個人の権利が擁護されるようになった歴史は、西洋のそれと比べるとまだ浅い。しかし、実際、被統治者である人々の生活では、古くから相互の関係において個人を尊重しようとするスピリットが存在していたに違いない。

我が国は明治時代、立憲君主制のプロシア憲法を手本とした明治憲法が制定され、天皇主権の下に帝国主義国家の道を歩むことになった経緯《いきさつ》がある。今の時代と比べれば、この明治憲法の下で行われた政治は決して民主的なものとは言い難かったが、徳川幕府が統治した江戸時代の政治と比較すれば、人々は極めて自由になったと言える。

法的には、明治憲法には現在の憲法ほどの人権保障は定められてはいなかったが、当時の人々の心の中にも、個人を尊重しようとする精神は確かにあり、実際、市民レベルでの人間関係では、「お互いを尊重しよう」とする姿勢が暗黙の了解として存在していたのだ。

日本流の個人尊重の精神として考えられるのは、いわゆる「義理」「人情」である。また、それと並行して「本音」と「建前《たてまえ》」という日本式のダブルスタンダードの精神構造をスマートに使い分けることで、厳格な縦社会構造と、複雑な人間関係の中を、上手にやりとりすることができたのである。

義理と人情は、人々の生活の中に古くからある伝統的な精神構造だ。それらが明確に概念化され始めたのは、言うなれば江戸時代に入ってからである。

ところで、脚本家の近松門左衛門（1653〜1724）は、日本の庶民が有する独特の精神構造を生き生きと描写した。近松は浄瑠璃《じょうるり》や歌舞伎の一連の作品の中で、封建領主時代の人々が、どのようにお互いの立場を気遣い、交流していくべきなのかを、「演劇」という一般大衆にアピールしやすい方法で描いた文学者である。特に、代表作「曽根崎心中」「心中天網島《しんじゅうてんのあみじま》」などの世話物は、義理と人情の板ばさみに苦悩する人間の悲劇だ。

近松は武家に生まれ、公家の家の養子となり、最終的には庶民として生活した。そうした身分の違う多様な経験をしたことが、世間の有様を幅広く捉え、社会の不条理や義理、人情で描写するのに役立ったのだろう。近松が作品の中で描写した、社会や人間の構図は本質を突いており、「個人の尊厳とは何か」という哲学に通じる要素を持っていたと解する見方も面白いと思う。

日本研究に造詣が深いコロンビア大学のドナルド・キーン名誉教授（Dr. Donald Keene）は、イギリスのシェイクスピアと日本の近松の比較研究において、非常に興味深い見方をしている。

キーン名誉教授は、シェイクスピアの作品の悲劇の主人公は皆、身分が高いが、近松の作品での主人公は「庶民」であるということに着目する。そして、近松の一連の作品が主眼とした悲劇の主人公は、支配階級に属する権力者ではなく、一般の庶民そのものであり、ある意味で、シェイクスピアよりも近松のほうが、より近代的であると説いている。

ところで、明治初期における西洋文化、思想、科学の移入は、鎖国政策で盲目になってしまった「島国日本」が、急速に世界の列強と肩を並べるためには、やむを得ない手段だったのかもしれない。

明治、大正、昭和初期と、日本は長く帝国主義国家として歩み続け、1945年（昭和20年）に太平洋戦争に敗れた。翌年、GHQの指導の下で日本国憲法を制定したが、その憲法の精神基盤は、アメリカの独立宣言や連邦憲法に強い影響を受けたものだ。アメリカ憲法の精神が自由と平等を基調とすることは、広く知られているが、実際、一人ひとりの日本人には、「そうしたアメリカ型の自由・平等という観念は、どうもしっくりとこない」のが本音だ。

「自由・平等でありたい」「差別されたくない」「自分の権利を守り、それを行使したい」という欲求は、西洋諸国でも日本でも、同じ人間としての本能には違いない。それにもかかわらず、日本人はなぜ、それらの概念に対して程よい親近感を感じることができないのであろうか。

考えられる理由の一つは、西洋と日本の宗教観の違いである。西洋の近代思想はキリスト教文化に基盤をおいた「天賦的な人権思想」であり、そこには「自由・平等は、神から万民に与えられたものである」という理念がある。

むろん、日本人にとっても「人間としての自由・平等を希求しよう」とする願望は同じである。しかし、本来、日本で長く信じられてきた宗教は神道や仏教で、それ故、キリスト教の影響を受けた西洋型の思想を、自らの肌で実感することは難しいのである。そうであるならば、我々現代人は、これからの時代、そうした西洋の思想をどのように受け止めていけばよいのであろうか。そして、それらを日常生活の基本理念として、実際に反映させることができるのであろうか。

私は、21世紀に生きる現代の日本人が、文明開化から現代に至るまでのプロセスを、もう一度時間をかけて捉え直す必要があると考える。また、日本人が哲学をしなければならない理由も、そこにあると思う。なぜならば、できるだけ多くの人々が思索に励み、日本独自の文化や伝統を維持しながら、かつて西洋から輸入した自由・平等の思想について、きちんと理解することが重要であるからだ。そうすることが、「個人の尊厳」という極めて重要な概念を、日本人一人ひとりの血の中に浸透させる近道となるのではないだろうか。

21世紀を生きる我々は、明治維新を単なる「過去の経験」として歴史の暗闇《くらやみ》に封じ込めてはいけない。明治維新は、現代においてもまだ続いている「一連の文明開化」である。日本の人々の心の中に宿る個人尊重のスピリットが、単なる借り物ではなく、ごく自然な形で実行できる時代を迎えられた時、いよいよ「明治維新の終焉」を迎えることになるのだ。

本書の出版にあたって

弟子　松永　差世

本書は、今から約20年前に、生井利幸先生が、オランダのフローニンヘン大学（オランダで二番目に古い大学）法学部に研究室を構えていらしたときに、執筆された哲学書です。オランダは、西周先生（日本の近代哲学・思想の土台づくりに貢献し、日本で初めて「哲学」という言葉を用いた明治初期の啓蒙思想家・哲学者）が、留学・研究生活を送られた国でもあります。西先生が学ばれたライデン大学は、オランダ最古の大学で、生井先生がいらしたフローニンヘン大学とはライバル校であり姉妹校のような関係です。生井先生にとって、西先生は幼少期からの憧れの先生でした。本書は、生井先生が、かつて、西先生が学ばれたオランダにおいて、西先生と同じ空気を吸い、西先生に思いをはせ、そして、西先生の精神を引き継ぎ、日本人の真の国際化、日本社会の真の発展・幸福を強く願い執筆された哲学書でもあります。

20世紀の後半から始まり今もなお続くＩＴ革命は、私たちの生活にそれまで想像もしなかった急激な変化をもたらしました。今や飛行機に乗らなくても、スマートフォンひとつあれば、世界中の人とインターネットを通じて繋がることができます。世界中の情報にアクセスすることができます。しかし、その一方で、それらの利便性と引き換えに、私たちは人間として大切なものをどこかへ置き忘れてしまったのではないかと思います。インターネット上には、ありとあらゆる情報が溢れ、電車の中では読書をする人が少なくなり、スマートフォンに向かって常に何らかの情報を見ている人を多く目にします。その情報の中に、真に大切なものがどれほどあるのでしょうか。

私は、現在、生井先生の下で、哲学および神学を学んでいます。そして、このような時代だからこそ、「少しでも多くの人に、考えること、哲学することの大切さを知ってもらいたい」、「日々流されるだけの人生を送るのではなく、深く考えることで、人生をより豊かなものにしてほしい」、「学生さんには、何のために勉強をするのかを考え、真剣に自分と向かい合ってほしい」、「ほんの少し深く考えることで、人生は変わる（変えることができる）」、このような思いから、本書の出版にいたりました。

そういう私自身も、生井先生と出会う以前は、哲学とは程遠い、まさに、日々の忙しさを自分への言い訳に、流されるだけの人生を送っていました。「何のために勉強するのか」、「何のために生きるのか」さえ考えたことがありませんでした。生井先生と出会い、本書に出会い、いかに自分が無知で無学であるか、いかに自分がそれまでの人生を無駄に過ごしてきたのかを知りました。哲学することは、人間にとって基本の基本でありいかに重要であるかを知りました。哲学することは人間として生きることそのものであると思います。

この本は、自ら哲学するための真の哲学書です。自然と哲学するように導いてくれます。考えるきっかけと考える重要性を教えてくれます。きっと、何らかのヒントが見つかります。インターネットを否定はしません。私も必要な時には使います。でも、インターネットを見るうちの少しの時間を、本書を手にして考えることに使ってほしいと思います。

私、松永差世は、生井先生が西先生の精神を引き継がれたように、生井先生の哲学・精神を引き継ぎ、少しでも多くの人に伝え、後世に残していきたいと考えています。「善い本との出会いは、人を成長させ、人生をより豊かなものにしてくれる。」これは、本書の出版にあたり、多大なるご助言・ご協力を賜りました、株式会社善本社・手塚容子社長のお言葉です。人類の歴史において、活字文化は切っても切り離せないものです。そして、活字は、たとえ私がこの世からいなくなっても残り続けます。手塚洋子社長はじめ、本書の出版に関してご尽力いただきました皆様に、この場をお借りして心からお礼を申し上げます。

最後に、読者の皆様へ

本書を読まれ、もっと深く哲学を学びたい、学問についてもっと深く知りたいと思われた方、子供も手を離れ学び直したいがどのようにすればよいのか分からない方など、学びについて関心のある方は、以下の生井利幸事務所・銀座書斎までご連絡ください。

"To live is to study." ……生きることは学ぶこと

銀座書斎は、東京・銀座にありながら、都会の喧騒から離れ、静寂、かつ、学問・文化・芸術の香りが漂う空気感の中で、より自分を高めたいと願う紳士・淑女の方のために、さまざまな学びの機会をご提供しています。

生井利幸事務所は、「心不在の社会から『心存在』の社会へ、社会に対する『奉仕の精神』を基盤として」を活動理念として、本の執筆、講演会の実施、学校の運営ほか、草の根的にさまざまな社会貢献活動を行っています。

生井利幸事務所・銀座書斎
〒104―0061
東京都中央区銀座3―14―2　第一はなぶさビル5階
電　話：03―3547―6044
FAX：03―6278―7930
生井利幸公式サイト：http://www.toshiyukinamai.com

生井利幸事務所

■著者プロフィール

生井利幸（なまい・としゆき）

長年、米国ペンシルベニア州ラフィエット大学講師等を歴任し、帰国。
現在、作家。

【略歴】

1964年2月6日生まれ。明治大学大学院法学研究科公法学専攻博士前期課程修了。その後、米オクラホマシティー大学大学院にて研究を続ける。財団法人参与を経て、長年、米ペンシルベニア州ラフィエット大学講師、オランダ王国国立フローニンヘン大学法学部客員研究員等を歴任。11年の海外生活において主にアメリカの大学で教鞭を執る一方、ニューヨークにて企業経営に参画。日本に帰国後、独立。比較法学的に世界各国における基本的人権保障についての研究を続ける一方、学問・文化・芸術的観点から、執筆・講演等を通して精力的に本質的メッセージを発信。現在、生井利幸事務所代表、生井利幸事務所所管・英語道弟子課程代表、国際教養塾塾長、英会話道場イングリッシュヒルズ代表、その他、企業等の顧問を務める。

主な著書は、『文明の墓場　哲学詩』（成隆出版）、『エレガント英語74』（とりい書房）、『「話し方」の達人』（経済界）、『ちょっとだけ寂しさを哲学すると元気人間になれる』（リトル・ガリヴァー社）、『能天気思考法』（マイクロマガジン社）、『ビジネスでガイジンに勝てる人、負ける人』（飯塚書店）、『妻を愛するということ』（WAVE出版）、『あの人はなぜバリバリと働けるのか？』（同文舘出版）、『その壁は、ちょっとのことで超えられる』（こう書房）、『発想力で新時代を生きる』（ライフ企画）、『30代の仕事の技術』（あさ出版）、『本当のアメリカを知っていますか』（鳥影社）、『仕事に活かす「雑談」の技術』（同文舘出版）、『日本人が知らない米国人ビジネス思考法』（マイクロマガジン社）、その他、『酒の飲み方で人生が変わる』、『喧嘩上手がビジネスで勝ち残る』等。

哲学の礎

令和五年二月二日　初版発行

著　者　生井利幸
発行者　手塚容子
製　作　善本社製作部

〒101-0051　東京都千代田区神田神保町二―一四―一〇三
発行所　株式会社　善本社
電　話　〇三―五二一三―四八三七
ＦＡＸ　〇三―五二一三―四八三八

ISBN 978-4-7939-0494-3